明日(あした)のブルドッグ

Takahashi Michitsuna
高橋三千綱

草思社

明日のブルドッグ◆目次

*カット写真は、本作品の主人公のモデルとなったブルドッグです。

明日のブルドッグ

パグ犬リリィの呪縛

1

雪煙を蹴立てて走っている動物がいた。牧場の柵に沿って、三、四十センチほど降り積もった雪を、まるで小型のラッセル車のように左右に振り飛ばして走っていた。事務所から出てきた牧場主が口にくわえた笛を吹いた。鋭い音色がどんよりと曇った北国の空に響き渡った。

すると、雪の中からかろうじて黒っぽい頭だけをのぞかせたその動物は、いったん佇むと、狙いをつけた獲物を捕獲するように、こちらに向かって怒濤のごとく疾走してきた。それはまるで氷海を泳ぐイルカのような孤独な力強さに満ちていた。

それは一匹の犬だった。近付いてきた犬は、雪の中から筋肉の張った腕をかきあげて浮上すると、急に伸び上がって突進してきた。牧場主が、それほど大きくはないが重そうな犬の体を下半身で受け止めた。犬は前肢を飼い主の太腿（ふともも）に預けると、彼の掌（てのひら）を皺（しわ）の多い頑丈な顔で受けた。

　次に犬はこちらに顔を寄せた。私が手を伸ばすと熱い息を吐いて鼻をあてた。それだけだった。犬は体についた雪を払うと、入り口に佇んでいる二人の男を置いて牧場の事務室に息荒く入っていった。

「今のは何だ？」

「ブルドッグだよ」

　やはりそうか、と思った。映像や写真で見るより実物はずっとたくましく迫力があった。闘犬という言葉が胸の中で反響した。だが、犬からは敵意も警戒心も感じられなかった。あっけない触れ合いだったが、そのあとは、むしろ不思議な陶酔感に揺すられていた。

「何歳なんだ？」

「まだ八ヶ月なんだ」

「前にもブルドッグを飼っていたことがあるのか」

「いや、あいつが初めてだ。シェパードやハスキー、色々と飼ったが、あいつが一番ユニークだ。犬らしくない犬というか。甘えん坊なんだが、飼い主なんかシカトしてマイペースを貫いたりするんだ」

「狛犬（こまいぬ）みたいなツラをしていたな」

　私は硝子戸（ガラスど）の閉じられた奥の事務所を振り返っていった。サンデーサイレンスという大種牡（だいしゅぼ）馬（ば）をかかえている、たいそう裕福な牧場主は、日焼けと雪焼けがごったになった頬に浅い皺をたてて笑った。

「あの神社に座っているやつか。似ているがブルドッグは魔よけにはならないよ」

「値段を訊いていいかな」

　カネの話題になると普段は傍若無人な私が突然腰砕けになる。彼は雪を踏みたててやってくる四輪駆動車に目を向けてちょっと憂鬱気に眉をひそめた。日本ダービー馬をこれまで数頭世に送りだしてきた生産者は、自身がグレート1のレースで優勝した何頭ものサラブレッドの馬主でもある。

「たしか二十万円くらいだったと思うよ」

　車が前に止まった。荷物を取って重いドアを開けた。運転をしている牧夫がお待たせしましたと丁寧に挨拶をしてきた。私は少し上の空だった。

「あのブルドッグのブリーダーとは親しいのか」

「いや。去年初めて会った人だ。なんでもブルドッグ専門でやっているらしい。釧路（くしろ）に本部があるよ。飼うんだったら紹介する」

「そのときは頼む」

車が駅まで向かう途中、今見たばかりのブルドッグの姿が頭の中でのたうつように回転していた。胸が高鳴る理由が分からなかった。しかし、次に飼うのであればブルドッグしかいないと固く思い詰めていた。

2

暗い中を北海道から東京郊外にある自宅に戻ると、三人の家人が出迎えてくれた。暖房の効いた居間に座ると、最初に中学二年生の娘が盆に缶ビールとグラスを載せて入ってきた。いつの頃からかそうすることが娘の役目のようになっていた。幼稚園児のとき、盆を両手で支えてしずしずとやってきた娘は、ビール壜(びん)をすべらせて、床に落とした。娘は絨毯(じゅうたん)にこぼれた泡をちいさな掌ですくいながらべそをかいた。十年も前のそのときの娘の様子が消えることなく脳裏に張り付いている。それからは酒屋は壜ビールではなく、缶ビールを届けるようになった。

中学生の娘につづいて、母が乾きもののつまみを持って入ってきて和卓の横に座り、孫娘がグラスにビールを注ぐのを目を細めて眺めだした。母は八十四歳になっていたが、まだ現役で仕事をしていた。生命保険の外交員という肉体的にも精神的にもつらい仕事を四十年以上続けていた。母がそうしなければならなかった事情は、家にほとんど生活費を入れることのなかった父に原因がある。その父が亡くなって八年になる。憂いは取り除かれたが、母は仕事をやめずに続けていた。家から職場までの二時間近い道のりを、毎日嬉々として通っていた。

最後に妻が燗酒と用意してあったさかなを盆に載せてやってきた。グラスの中のビールを呑み干すと、三人の目が興味深そうに、父に、夫に、息子に注がれているのを感じた。「パパ、お馬さん、買ったの？」

十三歳にしては痩せてひ弱な感じのする娘は声帯も弱く、声にも張りがなかった。でも父を見つめる娘の黒い瞳は初春の風にあてられたように瑞々しく輝いていた。

牧場にいい馬がいたら買ってきてやると、大見得を切って家を出たことを突然思い出した。家計を預かる妻は当然大ぼら吹きがひとりで舞い上がっていると分かっていたが、母は競馬を見るのが楽しみな老婆であり、娘は父には格安でサラブレッドを購入する魔力があると素直に信じていた。牧場主と父は同じ大学に通った同期生だと母に聞かされていたからだろう。それは事実だが大学時代の吉原照哉とは接触がほとんどなかった。東伏見の馬場で馬に乗って土煙を蹴立てる彼の姿に羨望の眼を向けていただけだ。その後、スポーツ新聞社に入社した私は、白老の牧場で、父を助けて競走馬を繁殖する仕事についている吉原を取材することになったのだ。あれから二十年が経ったが、取材する側とされる側という図式は変わっていない。

「馬はやめた。最低でも四千万円する」

母は微笑を絶やさずにいたが、娘は明らかに落胆した。小学校に入学してから一年間ほど乗馬クラブに通って馬に親しんだ経験がある。娘が望んでいたのは競走馬ではなく、乗馬用の馬であることも私には分かっていた。

「それはそうと牧場にブルドッグがいた。ブリーダーを紹介してもらえるそうだ。今度、ブルドッグを飼おうと思う」

家人に気どられぬように、なるべくさりげなくいったつもりだった。母は俯(うつむ)き、犬はもう、と呟(つぶや)くと言葉を濁して立ち上がった。ブルドッグって噛み付いたら殺すまで離さないんでしょ、といって娘はそそくさと父の前から離れていった。最後に残った妻は「おかあさんはリリィちゃんが死んだときに、もう犬は絶対飼いたくないっていっていたから、ブルドッグなんかとても無理じゃないかしら」と低い声でたしなめるようにいった。

妻が出ていくと、私はひとりでぐい呑みでぬるい燗酒を呑んだ。家族の反応は想像していた通りのものだった。

生き物を飼い育てることで子供は愛の芽生えを感じ取り、それを失うことで生命の貴さと悲しみを知る。

愛犬が死んだ時の悲しみは、娘より、母の胸を強く撃ち抜いた。それは今から五年前のことだった。リリィの死後、一ヶ月近くふさぎ込んでいた母は、職場の友人と湯治に行くといって出かけたまま数日戻らなかった。それは珍しいことではなかったが、連絡が二日途絶えたので心配した妻が滞在している箱根の旅館に電話をかけた。

もうお帰りになりましたという返答を受けて当惑しているとき、おたくのおばあさんが病に臥(ふ)せっていると秩父の旅館から電話があった。秩父には鉱泉はあっても湯治に向くような温泉は出ない。いったい何故、箱根からひとりで秩父まで行ったのだろうと疑問に思いながら、私と妻はおっとり刀で秩父まで駆け付けた。粗末な宿の薄暗い部屋で横になっていた母の顔を一(いち)瞥(べっ)したとき、母に残された命はそう永くはないと悟った。顔は枯れ木のように乾いて縮まり、眼窩(がんか)はふかくえぐられて黒ずんでいた。母は私たちの姿を涙と脂(やに)の付着した目で追うと、ごめんねと力のない声で呟いた。いいんだ、と私はやっとそれだけをいった。

病院に入院させるとき、母の荷物の中に、紫色の冊子があるのに気付いた。それには「秩父三十四観音霊場納経帖」と書かれた紙が貼られていた。秩父には四国八十八ヶ所の霊場巡りと同じように、三十四ヶ所の霊場を参詣するルートがあると聞いていた。だが、母の口から巡礼をするような話は聞いたことがなかった。納経帖を開くとすでに半分近くの寺に詣でているのが分かった。参拝のたびに寺社の社印をもらうのである。

「親父の霊をとむらうつもりだったのかな」

父の三回忌は半年前に済んでいた。音痴な住職の読む経を親戚一同かしこまって聞いたものだった。

「おかあさん、リリィちゃんが死んでからずっと元気がなかったから」

そのあと妻は口を濁した。

「犬の霊魂をなぐさめるために巡礼に出るやつなんかいない。動物と人間の霊は一緒にはできないんだ」

処置室の前の廊下の長椅子に座りながらそんなことを話し合った。母は奇跡的に回復し、二週間後に家の近くの病院に転院し、そこで一月近く入院したあと、すっかり元気になって退院してきた。入院中は職場の仲間が毎日やってきて、母の部屋は談話室のような陽気な笑い声に満ちていた。母は退院した翌日には会社に出勤した。八十歳近い老婆のどこにそれだけの生命力が溢れているのだろうと不思議だった。結局母は秩父の霊場を巡ろうとしたわけをいわなかった。その真意は今も母の胸の内にある。

徳利のなかが空になった。台所に行き酒を徳利に注いだ。湯に徳利をつけて待つ間、片隅に置かれた小さな写真立ての中のパグ犬の写真を見ていた。晩年のリリィが写っていた。私が庭で撮ったもので、まるまるとした顔のリリィはちょっととぼけたように舌を覗(のぞ)かせて首を斜めに傾(かし)げていた。愛嬌のある顔だった。

もともとは飼っていたパグの嫁さんにするつもりで、買ってきた犬だった。オス犬は西新宿のマンションで一年飼ったあと、娘が生まれることになって、府中に住んでいた両親の家にいったん預けた。数ヶ月のつもりが一年になった。その内郊外に家が建った。両親と私の家族が移り住みパグもやってきた。それを機にパグは庭に小屋を与えられて家人とは別のところで寝るようになった。それから犬の性格が変わった。家人といることを喜ばなくなった。いったん曲がった犬の性格を戻すのは大変なことだった。屋内にも寝床をつくったが外に出たがった。無理に閉じ込めると歯を剝(む)いた。

二年ほどしてパグのメスがデパートで売られているのを、新聞の折り込みチラシを見て知った。出かけていって十万円で買った。庭にもうひとつ犬小屋を置いたが、無邪気な子犬はオス犬の小屋に入りたがり、小屋を占領されたオスは仕方なく外で眠った。新しい小屋には入ろうとしなかった。

二匹が一緒に生きていたのは一年足らずだった。オスは正体不明の細菌にやられて死んでしまった。最後の一週間は一日二万円の請求を受けて動物病院に入院させた。その間、メスに寝床を奪われて困惑していた皺の多い繊細な犬の表情が脳裏に張り付いて離れなくなった。無責任な獣医を何度となくののしったが、徒労だった。

動物病院から戻ってきた犬の遺体は箱に入れた。弔いの経は父が読んだ。その調子はずれのアクセントがおかしかったらしく、幼い娘は友人と口を抑えて笑いをこらえていた。睨み付けると神妙に唇を固く閉ざした。

その後リリィは母が育てた。卵巣摘出の手術を受けたあとはさらに大事にしていた。六歳の頃の太ったリリィを散歩に連れて歩く母とのコンビはユーモラスで近所の評判になった。そのリリィが死んで五年が経った。母はリリィの呪縛からもう解かれてもいいはずだった。目尻の下がったパグの写真を眺めながら、私はブルドッグの姿におもいを馳せていた。

3

その年の夏に永い旅をした。戻ってくると身体に変調をきたしているのに気付いた。ときとして、まっすぐに歩けずに座り込んだ。それに坂道を下ると止まることができず、電信柱に手をついてしまうことがあった。ペットボトルの蓋をあけるのが困難なほどに指に力がこもらなくなっていた。黄昏を惜しみながら散歩をしていたある日の夕方、歩道の縁を踏み違えて転倒した。家に戻ってビールを呑んでいると、何時の間にか床に倒れていた。翌朝、地元の医院に診察を受けに行った。症状を話すと医者は、そりゃアル中だ、と鼻を脹らませて得意げにいった。殴りたいのを堪えて医院を出て、父の遺体を引き取りに行って以来足を向けることのなかった病院に行った。精密検査のあと脳に出血があると診断された。脳内出血ではないから安心していいと脳外科部長からいわれた。

　硬膜下出血の手術は頭蓋骨にドリルで穴を開けることから始められた。その内側で脳を覆っている硬膜と蜘蛛膜（くもまく）の間にできた血腫を取り除くのだ。手術に五時間を要した。退院は三週間後だった。

　その間に母は退職していた。八十五歳ではコンピュータの扱いはできず、周囲に迷惑が及ぶことを考慮して退職を決意したようだった。送別会や温泉旅行などがひととおり済むと、母は家に引きこもりがちになった。

「このままではボケるぞ。犬を飼おう。ブルドッグだ。そいつを相手に遊んでいればボケはしない」

　そう母に息子の決断を伝えた。有無をいわせないというほどの強い口調を耳にして、母はうらめし気に視線を上げてからなぜだか頬を染めた。

　母だけの問題ではなかった。自分も頭の中にブラックホールを抱えたまま枯渇してしまうことへの恐れに苛（さいな）まれていた。だがそれも、雪原を直進してきたブルドッグの姿を思うと、生命力に溢れた光の玉が、腹の底に出現したようなときめきを覚えるのだった。

　ブルドッグだ。そう思った。

オーラ

1

ブルドッグを専門に繁殖している業者がいると聞いていた。多くはないが、探し出して問い合わせをするのはそれほど困難なことではないようだった。私の住む西多摩地区にもいるようだと、家人が友人から聞いた話として伝えてきた。私は北海道の吉原から業者を紹介してもらうつもりでいたので、ほかからの情報には関心を払わなかった。

吉原と連絡が取れたのは、その年の十二月初旬だった。彼の牧場で初めてブルドッグを見てから十ヶ月近くが過ぎていた。ドバイからフランスを回って日本に帰ってきた吉原は、千歳にある牧場ではなく、滞在している東京のホテルから私に電話をかけてきてくれた。彼が多忙であることは知っていたので、赤坂のホテルに宿泊している理由は尋ねなかった。

か。

——ブルドッグのことで相談があると事務所に何度か電話をしてくれたそうだが、飼うの

彼の口調は牧場にいるときと違って、少し性急だった。電話の向こうから女性を含めた数人の話し声が響いていた。

「ああ、飼おうと思っているんだ。お袋が仕事をやめてずっと家にいるようになってな。さみしいだろうし、呆(ぼ)け防止のためにもいいんじゃないかと思ってな」

——お袋さんはまだ仕事をしていたのか?

「ああ、数ヶ月前まで生命保険の外交員をしていたんだ」

——いくつになるんだ?

「八十五歳。あ、十一月二十三日で八十六になった」

——そうか、それはすごいな。

「それで、吉原がブルドッグを買ったという業者を紹介してほしいんだ」

——え、ああ、そういうことか、ま、それはいいんだが。

何故だか、吉原は口ごもった。もし飼うのであれば紹介するといったのは吉原の方だったはずだ。ちょっと待ってくれ、女房と代わるといって、吉原は電話口で何事か呟(つぶや)いていた。説明しているらしい。数秒してご無沙汰しています、という千津夫人のなめらかで温かみのある声

が受話器を伝わってきた。学生時代にファッション雑誌の専属モデルをしていた彼女は、フランス語の達人でもあった。アメリカの牧場で修行していたこともある吉原は、堪能とはいえない英語で堂々と商談しているが、フランス人が相手となると夫人の協力は欠かせない。彼女と会うたびに、私は才色兼備という、今ではほとんど死語となってしまった、美しい日本語を思い浮かべる。

――そこはチャンピオンブル犬舎といって重山芳雄さんという方が代表をされています。私は行ったことはないのですが、釧路(くしろ)にあって、相当優秀なブルドッグ専門のブリーダーだそうです。有名なレッドバロンの血統を継ぐ犬もいるようですよ。

連絡先の電話番号を伝えてくれた上で、千津夫人はどうしてブルドッグに決めたのですかと訊いてきた。最初にそう尋ねないところがこの人の思慮深いところだった。私は吉原牧場で見たブルドッグの印象が強烈だったことをいった。たぶん、ずっと永い間、ブルドッグと出会えることを、気持ちの底に潜ませていたのではないかとそのときふと気づいた。そのことは口に出していうことではなかった。

「あのときのブルドッグは元気ですか」

私は夫人にそう訊いた。あの子は、と呟いて彼女は少しの間押し黙った。やっと聞こえた声はかすれがちだった。

――スノーボールですか。それが……。

そこで再び口を閉ざすと、あいつはカネには神経質なやつだからな、交渉次第ではあの馬を手放すかもしれんぞ、と英語で喋(しゃべ)る野太い外国人の声が受話器から聞こえてきた。そのあと千津夫人から吉原に声が代わった。

――向こうには橋本という者が問い合わせてくるからと連絡をしておくよ。だけどなあ、ブルドッグを飼うのは大変だぞ。雑種のようなわけにはいかないぞ。

「どう大変なんだ?」

――とにかくむつかしい。なんたって手がかかる。北海道は暑くはないから、夏はいいが冬はだめだ。寒さに弱い犬なんだ。

私は意外な思いに打たれた。雪を蹴散らして疾走していたスノーボールの勇猛な姿が脳裏に貼り付いていた。質問しようとすると吉原が機先を制するように、おまえ入院していたそうだな、と訊いてきた。

――なんだ? どこが悪かったんだ? 合併症が出たんじゃないんだろうな。

そうじゃない、とだけ私は答えた。頭蓋骨にドリルで穴を開けたと正直にいうには、術後二ヶ月の身としては、その後の説明に自信がもてなかった。私と吉原は共に糖尿病という病をかかえている。吉原はインシュリンを定期的に注射し、私は三年以上血糖降下剤を飲んでいる。

ずっと若い頃に胃を四分の三切除する手術を受けたが、退院するとすぐに酒を呑んだ。身体にとっては幸いなことに、今回は酒を呑む気力が失せていた。

商談に忙しい吉原は、それ以上追及することなく、五月になったらゴルフをやりに北海道に来いよといって電話を切った。私は少しの間息を整えるために居間のソファに横になっていた。頭は常に重いだけでなく、中では時折すきま風が吹いた。そのたびに脈拍が高鳴った。そういうとき、母に息子の野辺送りをさせるような親不孝だけはするべきではないと殊勝な考えが浮かんでくる。一ヶ月後、私は四十九歳になるが、誕生日の日が葬式と重なってしまう妄想にしばらく前から悩まされていた。楽天家であった性格が、少しずつ削り取られていくようだった。

2

――橋本さん？　どちらの橋本さん？　東京？　ああ吉原さんからの紹介の方ですか。たしか、作家の方でしたね。うちはブルドッグ専門なんです。釧路は総本部でして他に四ヶ所支部があるんです。ここではチャンピオン犬をいっぱい出していますよ。レッドバロンの直系のウエストムーブがボスでね。すごい犬でね、こんないいブルドッグはうちにしかいません。オホーツクのチャンピオンシップ展でベスト・イン・ショウを受賞したんですよ。メスもすごくてね、この犬につけるメスをイギリスから輸入してね、それは五十万円したんだ。ああ、ブルドッグを飼いたいということ？　取材じゃない？　そういうことなら、先月生まれたのがいますよ。もう二週間になるかな。ウエストムーブの子はいまいないんだけどね。この子たちもいいよ。写真を送ってあげるからファックスで住所知らせてよ。四匹いるんだ。予算はどれくらい？　あ、それだけ出せるんなら一番いいのが買えるね。おたくが最初だからね。うちにはこの他に白老（しらおい）と三沢、福島、それに四国に支部があるんですよ。そっちにも問い合わせが入るから、早いほうがいいよ。見れば分かるけど、いいオスが生まれているんですよ。ブルドッグは前に飼ったことがあるの？　あ、初めて？　オスはまあいうことをきかないから大変は大変だけどね。そういうことならメスのほうがいいかもね。一匹いるけどね。とにかく写真を送りますから、返事は早いほうがいいですよ。

数日たって写真が送られてきた。ソファに座った二人の女の子の膝の上に、四匹のブルドッグの子犬が乗せられていた。右から生まれた順に抱かれているようだった。右端の子犬は女の子の両膝の間に右腰を落とし、左足を黒いストッキングを穿（は）いた女の子の太腿（ふともも）に斜めに置いていた。顔の右半分以上が白い毛で覆われていて、両目はほとんど閉じられていた。無念無想の表情がおかしかった。

二番目の子犬は女の子の右手で胸を抱かれ、右の太腿に腰を下ろしていた。右足を女の子の黒いスカートの上で、踏ん張るように伸ばしていた。なんだか土俵入りを真似る金太郎のブルドッグ版のように見えた。その皺(しわ)の入った足首がたくましく、短い足が愛らしかった。

その子犬は右手を女の子の手首の上にだらりと下げていて、左手を一番目の犬の肩に置いていた。一番目の犬の表情が無念無想に見えたのは、肩に置かれた腕の重みのせいかもしれなかった。その弟の毛は理想的な色分けがされていて、茶の毛が両耳と目を覆い、額から頰、顎にかけては艶のある白い毛に覆われていた。両腕も茶色だったが手首から下だけが白かった。

その子犬はカメラに視線を向けず、斜め下の床のあたりに視線を送っていた。この子犬だけでなく他の三匹もカメラには目を向けていなかった。ただ二番目の子犬だけに意思表示があった。口は堅く結ばれていて意志が強固であることを示していて、その黒い瞳の奥には深い憂いと兄弟へのいつくしみの色を宿していた。そのあどけない、そして少し悲しげな表情に胸をつかれた。

もうひとりの女の子に抱かれた三番目の子犬は途方に暮れたように俯(うつむ)いていた。メス犬らしく、体が小さくてどこかはかなげだった。

私の視線は二番目の子犬の上から離れなかった。家族の了解を得るまでもなく、その子犬を買うことに決めていた。

——この子犬はすばらしいですよ。前肢がしっかりしていて、親のいいところをみんな受け継いでいますよ。これが一番ですよ。この子に目をつけられたんじゃ他のを推薦できないな。ただまだ母親から離すのは早いんでね、帯広の動物病院でジステンパーとレプトスピラ症のワクチンを注射しなくてはならないんで、それが射てるのが生後二ヶ月経ってからなんでね。そちらに送れるのは来月の半ばになりますねえ。えっ？　アメリカから帰ってくるのが一月の十八日なんですか。なら丁度いいですね。二十日をめどに送れるよう準備しておきますよ。

3

大学時代、空手部の猛者として過ごしていたはずの立花が、パートタイム運転手として私のところにやってきたときは、繊細で他者に対する気遣いのできる青年になっていた。

役者をこころざしたのが大学四年の時で、番長の手下として縄張り争いに青春を燃焼させる若者の役を映画であてがわれてから、スターを夢みる少年に変貌してしまったようだった。少年に変貌した彼は、心優しさを取り戻すと同時に貧しい生活を引きずるようになった。

大学を卒業後、就職することなく、格闘技を売り物にするある劇団の一員になった立花は、日銭を稼げるアルバイトを探す傍ら、芝居の稽古とごくたまに声のかかる役者の仕事を続けていくようになった。その劇団の主宰者の紹介で赤坂の事務所にやってきた立花は、事務所へは週に二度顔を出すという約束で仕事をすることになった。給料は十万円プラスチップだった。二十四歳という若い肉体は、運転手としてだけでなく、風に吹かれるとよろける癖のある作家のリハビリの格好の相棒となった。

一月二十日、夜、八時。車の運転を控えていた私に代わって羽田空港までブルドッグの子犬を迎えに行った立花は、そのときの様子をあとになってこんなふうに説明した。

――貨物ターミナルには到着の一時間前には着いていました。そのせいか人も多くなく閑散としていました。釧路からの到着便はなんとなくマイナーな路線という感じで、そこの電気も暗くて寂しかったです。ブルドッグは犬用のペットケージに入って出てきました。

最初に見たとき、思っていたよりも小さくて、元気がなくぐったりしていて、なんだか乗り物酔いをしているような感じで、犬でも乗り物酔いをするんだと思いました。引き取りに行く前日、お母さんから赤ちゃんが食べる小さいボーロと水を、犬が出てきたらあげるようにといわれて渡されていたのですが内心、ちょっと過保護じゃないかなって思っていたのですが、子犬がぐったりしているので、ボーロをあげてみようとしましたが元気がなくて食べませんでした。お水も容器に入れて差し出したのですが、それも元気がなくて飲めず、グターっとしていました。このままでは死んでしまうんじゃないかと困っていると、そこにもう一組ブルドッグを引き取りにきた夫婦の人がいて、おじさんが、こうやって飲ませるんだよといって、自分の掌（てのひら）に水を入れて舐（な）めさせるやり方を示してくれました。教えられたやり方で水をあげると子犬はぺろぺろと手を舐めて飲んでくれて、その後、ボーロも口元に持っていくと食べてくれました。そのおじさんのブルドッグは大人のメスで、同じ犬舎から来ていました。種付けのために送っていた感じでした。こんな偶然があるんだなと思っていると、おじさんはタッグを見て、この犬はうちの弟にあたるんじゃないかな、といってのぞき込んでいました。そして「この種類は超高級犬なんだからさ」と凄く自慢げにいっていて、帰り際には「ブルドッグは皮膚が弱いから気をつけてな」といってくれました。空港から赤坂に向かうとき、子犬があんまり元気がなかったので、これ以上酔わせてはかわいそうだと思って、急ブレーキなどをかけなくていいように、いつもより車間距離をとって運転していました。ちょうど浜崎橋のところで、自分のすぐ前の車が、合流してくる車をよけきれずに追突事故を起こしてしまいました。でもぼくは車間距離をものすごく取っていたので、前の車が事故を起こしても自分は急ブレーキをかけなくてすみました。子犬を乗せていたから助かったんです。感謝する気持ちでペットケージを覗（のぞ）き込むと、ぐったりして小さくなっていたのに、なんかオーラのようなものが出ているように見えました。なんだか普通の犬ではないような気がしました。

ブル太郎

1

仕事場の硝子戸(ガラスど)を通して、夜の中に屹立(きつりつ)する東京タワーを見ていた。空気は澄んでいて、イルミネーションは燃える氷柱のように冷淡で美しく輝いている。夜気を肌に直接感じたくなって、机の前を離れて硝子戸を開けベランダに立った。凍りついた冷気が頬を刺した。東京タワーの灯(あかり)は青い空に一層激しく伸び上がっていく。目の下にある常緑樹の黒い葉陰が揺れて寒く乾いた音をたてた。

ビルは六階建てで、事務所兼用の仕事部屋は最上階の角にあった。六十平米に満たない狭い部屋だったが、ビルは高い崖の上に建っていて、谷を下った遥か先に東京タワーや周辺のビルが、夜になると浮かび上がって見える幸運な立地状況にあった。

――今頃、子犬も車の中からあのタワーの光を不思議な思いで眺めているかもしれない。釧路(くしろ)の広大な原野に降り積もった雪を毎日見て過ごした子犬にとって、都会の灯は恐怖に感じられることだろう。母親と兄弟から生後わずか二ヶ月で離されてたった一匹でやってくる子犬をどういう態度で迎えてやればいいのだろう。

魔女の涙のように可憐にまたたく星屑に顔を向けながら、私はしばらくの間とりとめのない感傷にふけっていた。寒い季節になると私はどういうわけか少年時代の自分に一瞬戻ってしまうことがあった。傍目(はため)には快活な子供に見えたかもしれないが、貧しい作家の家に育った私は塾に行くこともできず、グローブを持っていないため野球チームにも加えてもらえず、いつも孤独だった。

部屋に戻り、万年筆を手にして原稿用紙に向かった。書き出すと字が乱れて四角い枡(ます)の中からはみ出した。年が明けてすぐにアメリカに取材に行き二週間ほど西海岸に滞在した。日本に戻って二日しか経っていなかった。だが万年筆を握る指先が定まらないのは、時差ボケのせいだけではなかったようだ。私は文章を探りながら、今頃は高速道路のどこかにいるはずのブルドッグの姿を思い描いていた。

三十分ほどしてチャイムが鳴った。チャペルの鐘の音のように祝福に満ちた響きが部屋を揺るがした。立ち上がるとドアの開く音がした。

黒い厚手のブルゾンを着た立花が、赤くふくらんだ頬を向けて「子犬が着きました」といって玄関に入ってきた。右手にペットケージを下げていた。ドアを閉め、そっとペットケージを床に置いた。それから靴を脱ぐと、両手で慎重にペットケージを抱えて私の前に持ってきて置いた。寒いところごくろうさん、と私はいった。

「飛行機に酔ったみたいでちょっと元気がないんです」

そういって立花はペットケージの留め金をはずし蓋を開いた。

薄茶色の子犬が体を丸めてうつ伏せに寝ていた。布切れが敷かれていたが、それは隅の方に寄っていて、冷たいプラスチックに子犬は直接腹這いになって目を閉じていた。灯を感じると目を開いた。黒い瞳の周囲が充血していた。覗(のぞ)き込んだ人間を眩(まぶ)しそうに見上げた。

「ブル太郎、よろしくな」

そういって子犬の頭を撫(な)でた。子犬は首を縮め悲しげな目で私を見直した。顔の中央が白く、体は痩せていて生まれたての羊のようだった。

私は子犬を抱いてペットケージから出し、暖房の入ったカーペットの敷かれた床に置いた。子犬は自力では立ち上がれず、ボロ雑巾(ぞうきん)のようになってカーペットにうずくまった。立花が子犬の脱糞したペットケージを洗っている間、私は乾いたバスタオルで子犬の冷えきった体を拭いた。痩せていると見えた子犬の体には思いがけないほどの弾力があった。腕には筋肉が走り、白い毛に覆われた手は、北の大地を踏みしめるにふさわしいたくましさをすでに宿していた。

掌(てのひら)に水を入れて子犬の口に差し出したが子犬は飲もうとしなかった。飲むだけの体力がなくなっているように思えた。ただぐったりとしていた。私は温風ヒーターの近くに子犬を移してバスタオルをかけた。子犬は目を閉じて微かな寝息をたてていた。だが眠っているようには見えなかった。私は立花から空港に到着したときの子犬の様子を聞いて、貨物便の揺れに耐えるにはこの体はまだ脆弱(ぜいじゃく)過ぎたのだろうと思った。

「このままそっとしておくしかないな。元気になったら家に連れて帰ろう」

そう立花にいってから、釧路に電話をかけた。子犬は無事空港に到着し、今は手元にあることをチャンピオンブル犬舎の重山芳雄に伝えた。それはよかったと彼はいってから、奥さんには段ボールでペットハウスをつくる手順を教えておいた、昼にはたくさん餌を与えたから今夜は少なくていいだろう、これからはサイエンスダイエットグロースを一日三、四回与えてやってくれと早口でいった。よく喋(しゃべ)る男だった。

――夏になったらビタワンを餌に混ぜてやってください。

そう彼はつけ加えた。一月二十日に夏の陽気を想像するのはむつかしかった。

「飛行機に酔ったのか、元気がなく水も飲もうとしないんです」

――ああ、まだ小さいからね、そういうこともあるだろうね。でも大丈夫、これまで何十頭と送っているけど死んだ犬はいないからね、暖かくして休ませてやれば元気になるよ。

乱暴な慰め方だったが、その言葉によるべを見つけるしかなかった私は、礼をいって電話を切った。子犬はバスタオルにくるまって静かに眠っている。私は仕事部屋に入り、再び原稿用紙に向かった。小説の中の中年の主人公は、女子大生と京都で逢い引きをするつもりで新幹線に乗り、そこでかつて付き合いのあった女優と顔を合わせてしまい、酒に酔った彼女にからまれて難儀をしている。その新聞小説は書き始められたばかりだった。

「あ、こいつ、いつの間に！」

仕事を始めた私に配慮して、音をたてないように雑誌の整理作業をしていた立花が突然素っ頓狂な声をあげた。もう少しで新聞一回分の原稿を書き終えようとしていた私は、胸騒ぎを感じて机の前を離れた。

「どうしたんだ」

居間に通じるアコーディオンカーテンを開けて床を見た。寝ていたはずの子犬が起きあがって何か引っ掻いている。不吉な光景が目に飛び込んでくることを恐れていた私は、とたんに胸を撫で下ろした。

「急に元気になって、こんなことして、油断ならないやつだ。あ、だめだ、だめ、こら、だめだ、電話線が切れちゃうだろ」

床を横断する形で電話線が敷かれていて、その上を細長いプラスチックのカバーが覆っている。子犬はカバーの細かい切れ目を見つけて電話線を引っ張り出し、しきりに前足でじゃれついていた。

立花が子犬に手をかけると、カバーを前足で押さえ、頭を低くし、腰を高くして唸り声まであげだした。立花はわあわあといって子犬を電話線から引きはがした。子犬はまなじりを吊り上げて立花の腕を払いのけようとしていた。

羊の赤ちゃんがブルドッグの子犬に立ち戻った姿は、私の気持ちをおだやかなものにさせてくれた。私は黙って仕事を続け、それは十分後に終わらせることができた。

通信社に原稿をファックス送信したのち、家に電話をかけた。これから犬を連れて戻ると伝えると、みんな起きて待っているからと妻が答えた。心配気な母の顔が脳裏に浮いた。母の顔の隣には五年前に死んだリリィのちょっととぼけた愛嬌のある顔が滲んでいた。この子犬を見れば母の悲しい思い出はたちどころに消え去るだろうと思った。そう願った。

子犬の体には温もりが戻っていた。水も少量飲んだ。立花が母から預かっていたボーロ菓子も口にした。ペットケージに入れるため子犬を抱き上げると、それまで元気だった子犬は急に神妙になって頭を垂れた。蓋をするときすがりつくような目で私を見上げた。もう少しの辛抱だ、そう私は胸の内でささやいた。持ちましょうと立花がいうのを断って、私は子犬の入ったペットケージを下げてエレベーターに乗り、地下の駐車場まで行った。

昨日まで抱いたことのなかった夢が、右手にぶら下がっているような気がしていた。それはやがて途方もない大きなものに転化する予感をはらんでいた。

2

「ブル太郎と名付けたんですか」

運転していた立花が前を向いたまま訊いてきた。ああ、と私は答えた。犬の名前を特に考えていたわけではなかった。子犬を見たときとっさに口をついて出てきた名前だった。

「前に飼っていた犬もブル太といったんですよね。それもブルドッグだったんですか」

「いやパグ犬だった」

私の配慮のなさから早死にさせてしまった犬だった。マンションで飼っていた犬を、家を新築すると同時に庭で飼うようになって犬との心の交流が途絶えた。家人の反対を押し切って家の中で飼っていれば、細菌に冒されることもなかっただろうと思うと、心臓がつららで貫かれるような冷たい痛みに苛(さいな)まれる。

「あのう、秘書の島村さんからブル太さんというタイトルで劇画の原作を書いていると聞いたんですが、そのパグが主人公なんですか」

「主人公は野球の選手。でもタイトルは犬の名前をそのまま使うんだ。あ、ブルタの夕は太ではなく田圃の田だよ。ブル田というのは名ではなく苗字。ブル田ブルーバーというのが死んだパグの本名なんだ」

「えっ？　そうなんですか？」

立花の声が裏返り、忍び笑いが漏れた。「ブル田さん」の話は昨年の五月頃から準備を始め、何本かの試作を書いて劇画週刊誌「ハローニッポン」の編集長に渡したが、いい返事がもらえずにいた。その内にヨーロッパに行くことになり、さらに戻ってから入院したため物語は中途半端なままになっていた。五月の連休から連載を開始することになっている。素晴らしい絵を描く漫画家のスケジュールを押さえてあると編集長はいっていた。その連載を成就させるかどうかに私の事務所の存亡がかかっていた。

ある日、空から降ってきたパグ犬が四歳の女の子の守り神になる話は、死んだブル田へのレクイエムのつもりで書き出したものだった。モデルとなったその心やさしい犬は、娘の生まれる一年前に私のところにやってきた。相当不潔なところで育てられたらしく、病気にかかっていて痩せた体からはあばら骨が浮き上がっていた。生きていれば十五歳になる。

「ブル田さんの連載を始めるときにブルドッグを飼うのはなにかの暗示かもしれないな」

そう私はいったが、立花はハアとふやけた返事をしただけだった。私の胸に数年間開き続けている深くて暗い空洞を、この子犬が明るいものへと変えてくれるだろうかと私は思っていた。傍らに置いたペットケージからは何の物音もしなかった。

赤坂から八王子まで五十分かかった。子犬を気遣って立花は速度を八十キロに保っていたようだ。家に着くと私はペットケージを脇に抱きかかえて石段を登った。玄関のドアを開けると床に置かれた段ボールのペットハウスが目に入った。私がアメリカにいる間に妻が重山芳雄から造り方を教わったものを、今日、即席に組み立てたのだろう。今朝家を出るときにはなかったものだ。段ボールを重ねて造られたペットハウスには屋根代わりに毛布が巻かれていて、中にはペットヒーターが敷かれていた。八王子の冬は戸外では零下になる夜が続く。

「おーい、ブルドッグが到着したぞ」

私は廊下の奥に向かって声を放った。台所のドアが騒々しく開けられる音がして足音が高く鳴った。娘と妻が角を曲がってやってきた。娘は寒そうに肩をすぼめていた。あとからやってきた祖母を前に送り出して自分はその後ろに佇(たたず)んだ。

私はペットケージを開けた。子犬の茶色の背中が小刻みに震えていた。子犬はうなだれたままで、顔を上げようとはしなかった。

「これがブルドッグだ。ブル太郎だ」

子犬の胸を両手ですくい上げてケージから出した。私の掌に子犬の震えが伝わってきた。見知らぬ世界にたった一匹で放り出された子犬の震えは、私の胸に凍りつくような孤独感と、嵐の夜に彷徨（さまよ）っていた心細さを呼び起こした。大雨に打たれながら、見知らぬ家の暗い軒先で八歳の私は膝に顔を埋めて泣いていたことがあった。父から理不尽な折檻（せっかん）を受け、家を飛び出してきたものの迷子になって行き場を失った寒い夜だった。

「わあー、かわいい」

床に立たされた子犬はうなだれたまま、動けなくなっていた。娘はそんな子犬の頭を撫でて、これがブルドッグなの、かわいい、といい続けた。母はほほえみを浮かべて心細げに佇む子犬を見つめていた。母の瞳に光が宿り、明るく回転した。そんな母の内側から滲み出る暖かい笑顔を見たのは久しぶりのことだった。ブルドッグは床に佇んだだけで母の慈愛を独り占めにした。

「あれ、逃げちゃった」

娘が戸惑い気味に立ちあがった。娘の手の下をかいくぐって子犬は段ボールのペットハウスに入ってしまった。まるでそこが自分のために用意された家であることを知っているかのような行動だった。私たちが見ていると、子犬は中から顔を覗かせて、初めてまみえた家族を不安そうに見上げた。

「おい、出てきなよ」

私は膝をついて手をペットハウスの中に差し入れた。後ずさりをした子犬は、思い直したようにこわごわ私の手に鼻を近づけてきた。だが臭いを嗅いだだけで、新たな飼い主の手を舐(な)めようとはしなかった。

ひとりぼっち

1

「人間に慣れていないのかもしれないわ」

段ボールで造られた犬小屋に逃げ込んだまま、出てこようとしない子犬を覗き込んで妻がいった。

「いじめられて育ったんじゃないかねえ」

母がしゃがれた声で呟いた。私はブル太郎の額のあたりを撫でて立ち上がった。代わりに娘が恐る恐る、暗い犬小屋の底に潜んでいる子犬の鼻先に手を差し出した。

「噛まないかしら」

妻が娘の背後で腰をかがめて心配気にいった。

「噛みはしないさ。飼い主に抱かれた子犬なら、見知らぬ人間に手を出されたら噛みつくことはあるだろうけどな」

「指のニオイをかいでいるよ」

それから娘は急に大胆になって両手を差し入れた。少しだけ見えていた子犬の鼻先が奥に潜ってしまった。

「こわがっているみたい」

「そうだ、こわいのさ。こわくて噛みつくこともできないでいるんだろう」

子犬を抱いたときに、掌(てのひら)に電流のように伝わってきた震えがまだ痛々しく残っていた。三歳の幼児が見知らぬ大人達にいきなり囲まれたら身のすくむ思いがするはずだ。さらわれると直感する幼児もいることだろう。

その恐怖感はブルドッグの子犬でも同じだ。ただそれを想像しようとする人間が少ないだけだ。幼児なら泣き出すことで怯えていることを訴えることができるが、犬は身をすくませるだけだ。人は自分たちがかわいいと思えば、動物はそれを敏感に感じ取って受け入れるはずだと、たいした疑問も持たずに信じ込んでいる。愛するのは勝手だが、愛の報酬を期待するのはエゴでしかない。人間同士の間で、片一方が愛情を押し付け過ぎると結果は大抵悲惨になる。

「うー寒い」

妻が両腕を肩に回して背中を丸めた。さっきまで微笑を浮かべていた母は、いまは浮かない顔でぼんやり佇(たたず)んでいる。

「ちょっとひとりにしておいた方がいいんじゃないかねえ、神経質になっているみたいだし」

「そうね。私達は台所に行ってましょうか」

「立花君、上がってメシでも食っていけよ。ハラ減っているだろう」

立花は鼻の頭を赤くして、さっきから玄関に茫然(ぼうぜん)と立っていた。

「あら、ごめんなさい気がつかなくて。どうぞ上がって下さい。夕食の用意ができていますから」

妻はそういうと、もじもじしている立花を置いて廊下の奥に行った。娘はちょっと上気した面もちで小屋の前から離れた。子犬とふたりだけでもう少し一緒にいたい様子だった。私は娘にビールを持ってくるようにいって、ガス暖房で暖められていた居間に入った。

「犬、箱から出てきたよ」

ビールを運んできた娘が目をきらきら輝かせていった。

「それで、どうしている？」

「また入っちゃった」

今度はあからさまに落胆した表情をした。

娘がスリッパの音を響かせて廊下を台所に戻っていくのを、ビールを呑みながら聞いていた。そろそろ様子を覗いてやろうかと思っているところへ、妻が立花の夜食を運んできた。立花は恐縮して箸を取った。

「子犬はどうしていた？」

「犬小屋の中から目を覗かせていたわ。面白い犬ね」

頬をふくらませてくすくすと笑っている。全然面白くないと思ったが、黙ってビールを呑み続けた。うちでは晩酌終了の合図がない限り、夕食の膳は用意されないことになっている。だが、子犬の到着した夜に限って、妻はすぐに私の膳を居間に運んできた。

「こっちの部屋を見ていたわよ」

妻はおかしくてたまらないというように頬を丸めた。幸福そうな顔だった。パグ犬のブル田も、皺だらけの丸顔に大きな目を浮かべた愛嬌のある犬だったが、妻がブル田を幸せそうに見ていた記憶はなかった。

「どうしたの？　出てこないの？　こわいの？」

妻は子犬にそう声をかけて台所に戻っていった。

居間のドアと子犬の小屋は正対している。居間に人が出入りするのを子犬は一生懸命観察していたのだろう。そろそろ恐怖が好奇心に変わる頃かもしれないと思った。

立花は額に汗を浮かべて無心に飯を食べている。私は芋の煮っ転がしをひとつ口に放り込んでから、彼が茶碗をカラにするのを待った。

「お代わりをよそってきてやろう」

「いやあ、もういいですよ。おかずがたくさんあって、もうハラがふくれました」

「まだ残っているじゃないか。青春とは食欲だ」

自分でもわけの分からないことをほざいていると思いながら、カラの茶碗を持ってドアを開いた。暗い小屋から半身を覗かせていた子犬と目が合った。とたんに子犬は身を翻した。

「ブル太郎、こっち来いよ」

そう声をかけて廊下を二、三歩進んだ。犬小屋から廊下の角まで一メートル半ほどある。台所は角を曲がった廊下の突き当たりにある。私は立ち止まると足音を忍ばせてそっと角まで戻り、壁に頬をすり寄せて犬小屋を窺(うかが)った。

縫いぐるみのような子犬が、おぼつかない足取りで段ボールの小屋から出てきた。床を踏む足音がぽくぽくと鳴った。ふと聖女が生んだ子犬を垣間見るようなたおやかさを感じた。子犬の輝くばかりの無邪気な風情が自分を寓話の世界に放り込んだような陶酔感に包まれてもいた。

それは神秘のシャワーを浴びたような数秒間だった。

子犬はおっかなびっくり廊下の角まで来ると、そこに黒い影が巨大なこうもりのように壁にへばりついているのを知って跳び上がった。まるでつむじ風がもんどりうつようにあわてて犬小屋に戻った。その姿は哀れだった。かわいそうという感情とは違う。昼までは生まれ故郷にいた子犬が、今は見知らぬ人に取り囲まれ、段ボールで即席につくられた箱だけが自分を守ってくれる場所だと信じざるを得ない状況におかれている姿がけなげで愛らしかったのである。なんとかしてあげたいと思った。だが、その方法が見つからなかった。

「ブル太郎、おいで」

そういったが、子犬は疑い深い眼差しをこちらに向けている。ためしに茶碗で床をコンコンと叩いてみた。すると子犬の目が金色に光った。そして首を傾(かし)げて茶碗を見ている。だが、出てくる気配はやはりなかった。私は台所に行って妻に茶碗を差し出した。三人はよその家で飼われている犬の話をしていたようだ。

「ぶるちゃんの様子はどう」

母が機嫌良さそうに訊いてきた。目元がうるんでいるようだった。母の座っている後ろの棚に、五年前に死んだ牝(めす)のパグ犬リリィの写真が飾ってあった。その写真の下に「リリィよお」と母の稚拙な字で愛犬への悲痛な呼びかけが書かれてあった。

「まだ落ちつかないな。今晩はあのまま放っておいたほうがいいかもしれない」

犬小屋から子犬を引き出して、家族みんなに順番に抱かせて強引に馴染ませてしまう方法もあったが、私はできるだけ時間をかけて家族に親しませてやろうと思っていた。それに、やがて成犬になるブルドッグを、母のペットとして扱うのか、家族の番犬にするのか、それとも闘犬として育てるのか、私はまだ決めかねていた。

「あ、こっち見ているよ」

台所のドアを開けた娘がそういった。茶碗にご飯をよそっていた妻が、茶碗をテーブルに置いて娘の後ろに立った。

「あ、ママが見たら逃げちゃった。ゴジラだと思ったんじゃないの」

「そんなわけないでしょ。早くお風呂に入りなさい。みんな待っているんだから」

飯の盛られた茶碗を持って居間に戻った。テレビを見ていた立花が「アハハ」と朗らかに笑っていた。急に彼の暢気(のんき)さがうらやましくなった。

その晩、私は午前三時まで居間にひとり座って本を読んでいた。段ボールの箱に入って眠っているブル太郎のイビキが心地よかった。

2

翌日、段ボールの犬小屋は柵で囲まれ、その領土はひと坪ほどになり、玄関ホールの半分以上の広さを占めることになった。柵にはアーチ型の出入り口があり、子犬は得々としてその門をくぐって廊下の角までやってきた。自分専用のトイレにもすぐに馴染み、何度もこまめに小便をしていた。糞をするときの姿勢がユーモラスで、踏ん張りながら低い鼻を上に突き上げて肩を震わせるけなげな姿は、母をことのほか喜ばせた。

夕方には子犬の行動範囲は角を曲がった廊下の中ほどにまで伸びた。

翌々日、家族が台所の食卓について昼ご飯を食べていると、子犬の顔がドアの硝子の外に現れた。ドアを開くとすぐに後ずさりを始めたが、逃げ出すというほどのあわてようではなく、戸惑いと好奇心に揺れ動いている感じだった。

そのあと赤坂の事務所に出た私が家に戻ってきたのは、夜の十時頃だった。玄関のドアを開けると子犬が柵の中から私を見て佇んでいた。なんだか泣きはらしたような表情をしていた。

「おう、ブル太郎じゃないか。ひとりでどうしたんだ」

そう声をかけたものの私は意外に思っていた。昼頃の様子から、子犬はすでに家族に溶け込んで、母の部屋か、家族が団欒で使う掘り炬燵のある和室か、あるいは暖かい台所で、家族に囲まれて幸せなペット生活を始めたものと思いこんでいたのである。

気づくと柵のドアが閉められていた。私は背筋を伸ばしてフックをはずし、アーチを開けた。それから床に座って靴を脱いだ。すると私の右の腿にこつんと当たるものがあった。見ると子犬が顎を私の腿に乗せてこちらを見上げている。その目の中央は金色に縁取られた黒い瞳で、白目の部分は血を流したように赤く染まっている。なんだかワニの子どもに睨み付けられているような気分だった。

「どうした」

そう声をかけると、子犬はフンというように目をそらしてくんくんと臭いを嗅ぎだした。私は子犬を抱き上げた。子犬は逃げなかった。やわらかくてか細い体が両手にすっぽりと納まった。子犬は顔をあらぬ方に向けてとぼけたようにあたりに視線を巡らせた。

子犬を抱いたのは、赤坂の事務所で初めてまみえた時以来だった。そういえば家族はまだ誰ひとりとして子犬をまともに抱き上げてはいないのではないかと思っていた。そのつもりで手を伸ばすと子犬は身を翻して逃げてしまうのだ。

「あら、お帰りなさい」

後ろから妻の声が落ちてきた。私は子犬を抱いたまま、どうして柵のドアを閉めたのかと訊いた。

「廊下にオシッコをしていたの。二ヶ所も。お母さん、気づかないで踏んじゃって。お風呂から出たばかりだったのに、また、洗っていたわ」

「そうか。廊下にオシッコはいかんな。おまえのトイレはそこにあるんだから」

女は厳しいと思いながら私は子犬を膝に置いて顔を撫でた。つるりとした肌触りにわくわくさせる爽快さがあった。

「この子、あなたに慣れているわね。お母さんまだ一度も触っていないっていってたわよ」

妻はそういって、無造作に私の手から子犬を奪って抱き上げた。

「ブー子ちゃん、抱かれたの。よかったね。廊下にオシッコをしちゃだめよ」

妻はそういって心からいとおしげに子犬に頬ずりをした。子犬は私のときと同じようにあらぬ方を向いて知らん顔をしていた。

「あら、ブーちゃん、来たの？　いらっしゃい」

二階の洗面所で歯を磨いていると、階下から華やいだ母の声が響いてきた。どうやら子犬が母の部屋を覗いたらしい。母が子犬を抱き上げる様子が自然に胸に浮き上がってきた。八十六歳の母がこれまで生きながらえてこられたのは、生命保険会社の同僚と愛犬のおかげだった。仕事をやめた今は、犬に頼るしかない。年を取ったら趣味を持って生きなさい、などとしたり顔で説くライフコンサルタントなどに老人の孤独感は分かるはずがない。身近にいる私でさえ分からないのだ。分かっているのは、人はだれかに頼られていないと生きてはいけないということだ。

母にとってブル太郎はやがて、頼られる困った存在になってくれることだろう。

書斎に入ると窓から、夜の中を斜めに流れるものが見えた。ベランダに出ると雪が落ちてきた。白いささやかな灯(あかり)は北海道からやってきた孤独な子犬への贈り物のような気がした。明日は積もるかもしれない。

親交

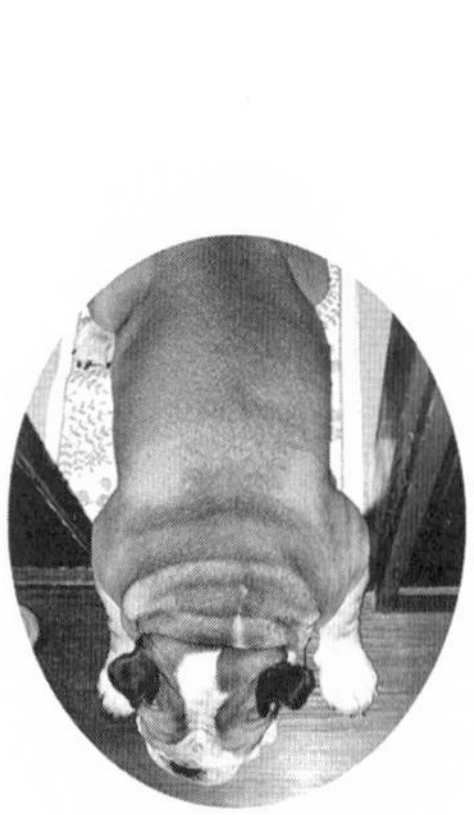

1

今年、最初に降った雪は、翌朝、はかなげな風情で、野原をうっすらと白く染めただけですぐに溶けてしまった。二度目に降ったのはそれから一週間後の一月の末のことだった。

夕方から降り出した雪は、夜半には大きな牡丹雪（ぼたんゆき）となり、それは翌朝になっても降り続けた。雪掻きをするスコップのたてる音が書斎のある二階まで響いていたが、雪が景色を覆い尽くすほど激しく降り出すと、いつのまにか途絶えた。

雪は丸二日降り続けて、月の替わった日の夕方にやんだ。するとそれを待っていたかのように雪掻きをする音が冷え切った空気を裂いて響いてきた。私は観念して防寒具を身にまとい、長靴を履いて外に出た。

通りのあちこちで黒い人影がのそのそと動いていた。向かいの家からもご主人が出てきて、やあ大分積もりましたな、といってからよしとかけ声をかけて、勇ましくスコップを雪の中に打ち込んだ。体力に自信の持てない私はそろそろと雪を掻き出し始めた。

しばらくする内に汗が胸に浮くのを感じた。防寒具を脱いで門の扉にかけた。すると目の上の方で白いものが動いた。顔を上げると石段の上で子犬が四肢を踏ん張らせて佇(たたず)んでいた。玄関を出たそこは道路から二メートル近く高くなっている。子犬はあたりを睥睨(へいげい)するように、雪景色になった住宅街を眺めている。胸の毛が白いのでフクロウのようにも見える。フクロウだって妙に思慮深い装いをしているし、偉ぶって見えるときもある。

「おい、ブル太郎、何やっているんだ」

そう声をかけた。子犬はそこにいるのが私だと初めて気づいたらしく、急に耳を後ろにギュッと絞った。黒い双眸(そうぼう)に軽い驚きの色が走った。子犬の表情は豊かで、胸の内の思いが手にとるように分かる。

「ほら、雪よ」

背後に立った妻が子犬の尻をそっとつっかけで押した。

「ふん」

子犬は鼻息を吹くと、雪の積もった石段を勇んで下りだした。だが三段降りてすべり、前のめりになった。そのままずるずると滑り台を頭からすべるように落ちてきた。最後の一段でやっと止まり、細い頸を振って頭についた雪を振るい落とした。それからくしゃみをひとつして顔を上げた。私と視線が合うと情けなさそうに頸を下げた。

「こっちに来い」

そういったが、子犬は呼び声にすぐには応えなかった。慎重に下まで降りてから、雪の中に危険が潜んでいないか探索するようにあたりを嗅ぎ回った。

「雪の中で育ったわりには臆病だな」

私の脳裏にはまだ、昨年、北海道の牧場で初めて見た、雪の上を疾走するブルドッグの姿が鮮烈に焼き付いていた。

「ブル太郎、来い」

私は大声でいった。子犬は顔を立てて声のするほうを探った。眉間に皺が立ったように見えた。次の瞬間、子犬の体が雪の上を踊った。体が雪に潜るとすかさずイルカのように力強く舞い上がった。

「ほう、すごいジャンプですな。これは何の犬ですか」

前の家の主人は感心したようにいった。子犬の姿は以前にも目にとめたことがあったようだが、種類までは知らなかったらしい。

「ブルドッグです」
私は少し誇らしい気持ちになっていった。これがうちの守護神だ、と吹聴したくなっていた。
「ほう、ブルドッグ。これがブルドッグですか。いやあ子犬なのにすごくたくましいですな」
私より十歳以上年長の主人は、紅潮した頰を子犬に向けていた。次に、その目にほほえましさとは違う笑いが浮いたのを私は見逃さなかった。彼の目に、勢いよくジャンプしていた子犬が、いまは恐る恐る雪の中を歩いている姿が映っていた。子犬の勇敢なふるまいは、わずか数回のジャンプで終了を告げていたのだ。

子犬が外にいたのは一分にも満たなかったかもしれない。道路の途中まで来てそろそろと引き返す様子を見せ始めた子犬に、私は「おい」と呼びかけた。だが、子犬は私の方を見ようとはしなかった。そのまま門の扉に体を擦(こす)るようにして中に入ると、今度はウサギのような蹴りで雪の積もった石段を駆け上っていった。啞然とする私に構うことなく、上に登り切った子犬は、家人がドアを開けるのを、当然といった風情で待っていた。

雪掻きをどうにか終えた私が、汗びっしょりになって家に入ったのは、それから一時間ほどしてからのことだった。ふと居間を覗(のぞ)いた私はそこにいる子犬の姿を見て、落とし穴にはまったような驚きと間の抜けたきまりの悪さを覚えた。

居間のガスストーブの前に座った子犬は、まるでビクター社のシンボル犬が蓄音機から流れてくる音楽に聴き入る姿を映したように、背中を丸めてうっとりとしていたのである。

「な、なんだこの犬は！　なんでストーブにあたっているんだ」

私の声は廊下に響き渡った。台所から出てきた妻が申し訳なさそうにいった。

「この犬はずっと家の中で育てられたんじゃないかしら。北海道って冬の間はずっとストーブを焚いているんでしょ。きっとストーブが好きなのよ」

2

すでに家人と馴染んだブル太郎は、日中は自分の寝床から出て、掘り炬燵のある茶の間や母の部屋に入って、探検がてら押入に顔を突っ込み、そこいらのものを引っ張り出したり、爪で引っ掻いてその正体を暴こうと奮闘するようになっていた。

そうすることに飽きると、人間を相手に遊ぶことを覚えだした。被害者は中学生の娘だった。二階の自室で簡単に宿題をすませると、期末テストの時期が近づいてきているのに、娘はのんびりと茶の間でくつろいでいることが多かった。子犬はそんな娘の傍らで、初めは神妙に座って頭を撫でる娘の掌を受けているが、そのうちセーターを噛んだり、袖口をくわえて引っ張るようになる。

「いやだあー、やめてよー」

そう叫ぶ娘の幼さの残った声が、居間で熱燗を呑んでいる私のところまで響いてくる。なにをやっているのかなと思いながら立ち上がって茶の間を覗くと、子犬が鼻の上に皺を寄せて、娘のセーターの袖口を嚙んでいる。引きずる力が子犬の割に強く、炬燵に足を入れた娘は、上体を倒された姿で必死にセーターを摑んでいる。

「だめだったらあ、やめてよー」

娘は声を張り上げるが、それは余計に子犬を勢いづかせるようで、空いた方の手でセーターをはずそうとすると、子犬は低く唸り声をあげる。

「いたーい。この犬、嚙みついてきたよ。あーっ、血が出てきた」

子犬の歯は細い上に加減することを知らないから、娘の指に歯形が残り、血が滲んでくる。妻が加勢すると今度は妻に嚙みついていく。私は消毒をした方がいいといってまた居間に戻る。今の内に訓練士をつけた方がいいかもしれない、と考えながら熱燗を呑む。

二月の半ばに私は出版社の重役の方とゴルフをした。終わると出版社では私のためにハイヤーを用意してくれた。その運転手は犬好きで、かつてはブルドッグを飼っていたこともあるという。私は生後三ヶ月のブルドッグに、訓練士をつけた方がいいかどうか迷っているといった。

「ブルドッグに訓練は向かないですよ。タレント犬にするつもりなら、無理にでも訓練すべきでしょうが、普通に飼うだけなら、訓練士をつけたってなにもならないですよ」

「というと？」

「ブルドッグは犬の中でももっとも頑固な犬で、訓練しようにもいうことをきかないんです。性格は色々あるけど、とにかくマイペースの犬で自分の好きなようにしか動かないんですよ」

「でもイギリス人が、人間に飼いやすいように、何世代も改良を加えてきた犬種じゃないのかい」

「そうなんですが、人間が創ったくせに、人間のいうことを最もきかない犬ができちゃったんです。とにかく調教なんかに出したらブルドッグが可哀相ですよ」

家に着くと運転手は玄関までゴルフバッグを運び入れてくれた。物音を聞きつけた子犬が奥から出てくると、体を震わせて私に跳びついてきた。

「やあ、これはいいブルドッグですね。かわいいなあ」

彼は子犬をひとしきり撫で回してから、

「マイペースだけど、ブルドッグほど愛情の深い犬はいないんですよ」

と最後にいって帰っていった。

私はその日使ったドライバーをバッグから抜き出して居間に持っていった。白いヘッドカバーをはずして使い古しの歯ブラシでドライバーのヘッドの部分を磨いた。プレイの終わったあと、手入れをするのがクラブに対する礼儀だと私は信じている。だからいうことをきいてくれる。

気が付くと子犬がヘッドカバーをくわえていって、居間の広いところでしきりに嚙みついている。前足でヘッドカバーの一部を押さえ、丸まったところを嚙み砕こうと奮闘している。合成革でつくられているので生えだした歯には気持ちいいのかもしれない。

私はクラブヘッドを磨き終えるとソファーから立ち上がった。子犬はまだヘッドカバーと戦っている。そのヘッドカバーに手を伸ばすと子犬の口から低い唸り声が漏れた。

「おい、よこすんだ」

私はヘッドカバーの端を持って手元に引き寄せた。その手にずっしりと重みがかかった。子犬が持っていかせまいと、ヘッドカバーに嚙みついたまま後ずさりをしている。

「こいつ、放せ」

振ってみたが子犬は両足を踏ん張って放すまいとしている。その力が凄い。私もむきになって振りほどこうとしたが容易にはずれそうにない。

「ウウウ」

子犬は低く唸り声を上げだした。それに尻を高くかかげて前肢でヘッドカバーを押さえるという戦闘態勢をとっている。その内、頭を左右に振って私の手を振り払おうという態度に出だした。

「おまえはすっぽんか。いい加減放せ」

上に引いたが、子犬は踏ん張ったまま口を放そうとしない。その目に涙が滲みだしている。

「分かった。これはおまえのものだ。負けたよ」

一分ほど戦って私は白旗を掲げた。私の方が息がきれていた。硬膜下出血の手術から五ヶ月近く経っていたが、まだ体力は完全には回復していなかった。私が手を離すと、子犬は自分のものとなったヘッドカバーを心地良さ気に嚙みだした。

その夜から子犬と私はヘッドカバーを挟んで格闘するようになった。ひとりだけで遊んでいるとすぐに飽きてしまうくせに、私がヘッドカバーを取り出すと目の色を変えて喰らいついてくる。そしていったん嚙みつくと、こちらが諦めるまで離さない。

ヘッドカバーは一週間で破れ、新しく買ってきたヘッドカバーはまた子犬の餌食(えじき)になった。その戦いは深夜に行われることもあり、廊下に子犬の唸り声が響くと何事かと母が部屋から出てくる。そしてあきれた面もちでいう。

「そんな子犬をいじめて可哀相じゃないの」

母の目には私と子犬の親交がいじめているように映るらしい。あるときヘッドカバーを振り回している子犬の腹を私はくすぐった。子犬は動ぜずに頭を左右に振って私の手をはずそうとしていた。次に私は子犬の腹を軽く叩いた。いつから見ていたのか分からないが、そのとき後ろから母の声が聞こえてきた。

「ボディを打つのはやめなさい」


子犬の散歩は母の担当だった。朝と夕方の二度、二百メートルほど離れたスーパーマーケットまで行く。夜は妻か私が家の周囲を連れて歩く。

「ブルちゃんは人気者でねえ。みんなかわいいかわいいといって寄ってくるのよ」

子犬の足を拭きながら母は華やいだ声でそういう。子犬が来てから母は明らかに元気になった。子犬のことを喋(しゃべ)るときは声のトーンが高くなるのにも家人は気づいていた。

「これ何の種類なんですかってみんな訊くのよ。ブルドッグですというとびっくりしてね。まるで縫いぐるみみたいっていって抱き上げるんだけど、わあー重いって落としそうになる人もいるんだよ」

子犬の成長は早かった。家に来たときは妻のエプロンのポケットに入るくらいだったが、一月半もすると胸の筋肉がはっきり分かるほどに盛り上がり、肩から前肢にかけては力強さがみなぎっていた。

私が帰ってくると、玄関で待ちかまえていた子犬が飛びついてくる。後ろ足で立って私の膝にやっと手が届くほどなのだが、油断するとよろけそうになるほど押す力が強い。そんな子犬を母は眺めながらしみじみという。

「この犬はいつでもここであんたの帰りを待っているんだよ。寒いから部屋に入りなさいといっても動かないんだよ。あんなにいじめられているのにねえ、ほんまにこの犬はかわいいねえ」

私は苦笑して居間に入る。それからヘッドカバーを取り出して子犬と引っ張り合戦をする。いつの間にか、そうすることが儀式のようになっていた。母はそんな私たちを恨めしげに見つめている。

ある晩遅くに私は赤坂の仕事場から戻ってきた。荷物がたくさんあったので二回に分けて車から降ろした。玄関の前で鍵を取り出していると、家の中で待っていた子犬が不意にひと声高く吠えた。

「あ、ブル太郎が吠えた」

廊下にいた娘が叫んだ。ドアを開けると体を震わせて待っている子犬がいた。黒い瞳が黒曜石のように輝いていた。子犬が初めて吠えた夜だった。

真夜中の警備

1

　沖縄では桜の開花宣言がなされていたが、私の住む八王子では山かげにはまだ梅が、哀れさを乞うように侘(わ)びしく咲いていた。その梅の花に退場の引導を渡すように、日当たりの良い斜面に植わった桜のつぼみがほころびていた。私が娘と娘の友達を連れて北海道のスキーツアーに潜り込んだのは、そんな季節の花の、静かだが峻烈な生命の引き合いの頃だった。

　保護者として同行した私にはスキーのうまいところを娘に見せてやろうという魂胆があった。わあー、パパってすごいんだあ、と娘が叫ぶほどに感嘆させてやろうと密(ひそ)かに気負い込んでいた。スキーをするのはおよそ十五年ぶりだったが、それだけの体力と技量がまだ蓄えられているはずだとたかをくくっていた。

しかし、現実は違った。手稲山に着いて貸しスキーでリフトに向かうときから私の足腰は怪しげだった。初心者用のコースだというのに、滑り出したとたん膝が泳ぎ、足はどんどん左右に離れていく。必死でこらえ、なんとか倒れるのだけは防ごうと前傾姿勢を取った。

そんなへっぴり腰の私の周囲を、高校生らしい女の子たちがキャーキャーと叫びながら滑っていく。いまにも倒れそうなのだが柔らかい膝が上体をうまく支えて、難なく私を追い抜いていく。私はといえば滑るよりブレーキをかけている有様だった。転倒こそしなかったが、ゲレンデに到着したときにはすべての水分を出し尽くした感じで、ただひたすらゼーゼーと荒い息を吐いていた。先に滑り降りて待っていた中学生の娘と友人は、なんとも味気ない顔で父と、中年というより初老に近くなったおっさんを眺めていた。

「もうやめた。おれはクラブハウスにいるからふたりで自由に滑ってこい」

そういうとふたりはとたんに目を輝かせて、鎖を解かれた子犬のように一目散にリフトに向かって滑っていった。スキーを返却した私は、暖かい室内に入って、スキーヤーから雪見酒の男に変身して心地よい午後を過ごすことになった。

翌日、バスに乗り込むふたりを見送ったあとで、私は札幌市内から千歳まで行った。ブル太郎を飼うことになったのは、昨年吉原牧場で雪を蹴立てて走る一頭のブルドッグを見たのがきっかけだった。あのブルドッグに会いたいと思ったのだ。

駅から吉原にこれから行くと連絡をした。すぐに迎えを寄越すからそこにいてくれというのを断ってタクシーで行った。広大な牧場はどんよりと曇った重い空の下で、雪に埋もれて静まりかえっていた。吉原は千津夫人と共に暖かい事務所で待っていた。入ると、そこにスノーボールがいた。

一年前の私は突然現れたブルドッグの迫力に気おされて、ただ茫然（ぼうぜん）としていただけだった。ブル太郎の飼い主となった今は、どうすればブルドッグが喜ぶかを知っている。とくに多くの人間に可愛がられている犬が、どんなに獰猛（どうもう）な顔つきをしていようが、とても人なつこい性格に育つことを見聞きしている。

ストーブの前にいたブルドッグが私のそばに寄ってきた。淡黄褐色（フォーン）の背中の筋肉がぶるぶると震えた。私はソファーに座って犬の顎を撫（な）で、耳の後ろを掻いた。犬は安心した様子で鼻息を吹いた。そのとき妙な違和感を覚えた。犬は思い描いていたより小型で、顔立ちも幼いままのように思えた。

「なんだか、ちょっと感じが違うな」

そういうと、前のソファーに座ったふたりは互いにちょっと目を合わせた。分かるか、と吉原が沈んだ声でいった。私は黙り込んだ。ずっと胸に引っかかっていたことがあった。昨年の十一月に電話でブルドッグのブリーダーを紹介してくれと頼んだとき、替わって電話口に出た千津夫人にブルドッグは元気ですかと尋ねると、それが……といったきり夫人は口を閉ざしてしまったのだ。その後たびたび不吉な想像が胸をかすめることがあった。

「去年、橋本さんが見たスノーボールは死んでしまったんです」

千津夫人は視線を下に落とした。ブルドッグは私の前を離れて吉原の膝に両足を乗せた。日焼けした吉原の顔が溶けたチョコレートのようになった。目尻が垂れたのが分かるほどだった。

「いつ？」

「あれから二、三ヶ月たって。夏の来る前に」

「どうして？」

私の質問に対して夫人は途方に暮れた表情で傍らの夫を見た。吉原は愛犬の首筋を撫でるのに夢中だった。

「原因が分からないの。ある日突然腰がふらふらして歩けなくなってしまって。獣医に診せてもはっきりしなくて。まるで腰が抜けたようになったままで、あっけなく死んでしまったの」

牧場の獣医は馬の専門医だといっても、動物を診ることには長けている。高価なサラブレッドが百頭以上いる吉原牧場には優秀な獣医がそろっているはずだ。彼らが骨を折って診察しても原因が分からなかったとなれば、奇病だと思うしかないのだろう。

「スノーボールはここにいるみんなのアイドルだったから、死んだときはみんな泣いてしまってとても仕事する気にはなれなかったみたい」

「まだ一歳にもなっていなかったからな。可愛がられるままにはしゃいで走り回っていたんだが、案外そういうことが原因かもしれない」

「というと？」

「猟犬と違ってそんなに走るのが得意な犬じゃないんだ。自然にオーバーペースになっていたのかもしれない」

吉原の言葉に胸を衝かれた。この頃、近所にいる司法試験を目指して勉強している青年に、夜の散歩を頼むことが多くなっていた。ブル太郎は戻ってくると決まって喘ぐように息をしている。彼は義務として無理にでも犬を走らせているのではないだろうか。

「とにかくデリケートな犬なんだ。馬よりずっと敏感で神経質だし、手間もかかる。いつでも人のそばにいたがるのに、構われるとシカトしたりね。前の犬が死んだときはもうブルドッグはこりごりだと思ったけど……」

「でも、しばらくたったら、やっぱりブルドッグがいいといいだして」

「こいつの魅力を追求してやろうと思ってね」

そういうと吉原は少年のように無邪気な笑顔を見せた。今度の犬もやはり釧路にあるチャンピオンブル犬舎の重山に頼んで持ってきてもらったのだという。重山は三頭持ってきて、どれでもいいから選んでくれといったらしい。ここにいる間ずっと喋り続けていたという。

「頑固なところもある犬だけど、こいつならなにをやっても許してやろうと思うんだな。そうしなくちゃいけないような気になるんだ」

「私のショッピングも大目にみてもらいたいわね」

「おれ、それだけはどうしても分からない。なんで一着何十万もする服を平気で買えるんだろうって、さ。たかが服だぜ、全然分かんねえ」

　吉原の笑い声が事務所に響いた。ブルドッグがそんな主人を頸を傾げて見上げていた。

　ブランド品を身にまとった千津夫人が競馬場のパドックの中で佇んでいるのを何度も見かけている。去年のジャパンカップのときもそうだった。その上品なたたずまいは外国人の中に混じっていてもひときわ目を引いた。その横に毎年三十億円を稼ぎながら、どこか垢抜けない服装でにこやかに立っている吉原がいた。だが、ここにいるブルドッグにはふたりがどんなに裕福かということは分からない。

　たとえ飼い主が殺人者であろうが、犬はその人に忠実につかえる動物なんだと私はぼんやりと考えていた。

2

出かける用意をして玄関で靴を履いていると、ドアの外から犬の荒い息づかいが聞こえてきた。少し遅れて母と娘の姿がドアにはめられた縦長の硝子を通して見えた。おばあちゃん、大丈夫、と訊く娘の声が聞こえた。私は框に座ったままドアが開けられるのを待っていた。不意に私の姿が目に飛び込んできたときのブル太郎の反応を見たかったのだ。

ドアがそろそろと開きだした。娘が母を支えながら片方の手でドアを引いているらしい。母の様子がいつもと違うと気づいて中腰になったとき、隙間をこじあけてブル太郎が躍り込んできた。一瞬だけこちらに目を向けたが、そのまま立ち止まることなく軽やかに床にジャンプした。

「こら、待て」

腕を伸ばすとかろうじて子犬の後ろ足に手が届いた。散歩から帰ったあとは必ず足を拭くことになっている。そのための雑巾が散歩に出る前に用意してある。

「こいつ、とぼけて部屋に入ろうとしやがって、どんどん我が儘になりやがる」

今年初めて雪の降った頃からわずか二ヶ月しか経っていなかったが、子犬の体には厚みを感じさせるほどの筋肉がつき、体高も目立って高くなっていた。丈夫そうな足の太さは、他の犬種であればそれだけで成犬を思わせた。わずかにまだ幼さを残した風貌があどけなかった。

私は子犬を引き寄せて腕の中に抱き込んだ。子犬は両耳を後ろに絞って、くんくんと臭いを嗅いだ。つぶらな黒い瞳を囲っている白目が赤く充血している。散歩から帰って興奮しているのだろう。

「おとなしくしろ」

抱いたまま雑巾で足を拭きだすと、子犬は最早これまでと観念しておとなしくなった。足を拭かれるのが嫌いな子犬は、妻が拭くとその手に嚙みつくこともある。

「あ、血が出ているよ」

母の腕をとって玄関に入ってきた娘が心配そうに顔を覗き込んでいた。背中の曲がりが少し目につきだした母は、胸を押さえて苦しそうに喘いだ。

「どうしたんだ」

「おばあちゃん、ブル太郎に引っ張られて転んじゃったの」

母の頰には擦り傷が走り、手の甲からは血が滲んでいる。私は身体をずらして母を框に座らせようとした。そのとたん、子犬は私の腕の中から逃れて奥に駆け込んでいった。

「このやろう」

靴を脱いで子犬を追った。母のベッドの上に跳び上がった子犬は、雑巾をくわえて自分の方に引っ張り出した。

「今はおまえの相手をしているときじゃないんだ」

お尻を二度かなり本気で叩いたが子犬はひるまなかった。雑巾をとりあげようとすると唸り声をたてた。やっとのことで拭き残した足の裏を拭いたが、まだ暴れていた。丸まった、まるで豚のしっぽのような尾っぽを拭きだすと、不思議なことに取り澄ましたようにおとなしくなった。

子犬を置いて洗面所に行き、救急箱から消毒薬を取り出して母のところへ戻った。母は同じ所に座ったまま、背中を丸めて肩で息をしていた。私は娘に消毒薬を差し出した。

「どうしておまえがリードを引いてやらなかったんだ」

「うんこしたからスコップで取っていたの。丁度新聞配達のバイクが来て、そしたらブル太郎がいきなり走りだしておばあちゃんが転んじゃったの」

娘は母の手に消毒薬を振りかけながらそういった。母は黙ってうなだれている。八十六歳の老いがその背中に滲み出ていた。

「もうおばあちゃんにはブル太郎の散歩は無理だよ、バイク見るとすごい力で飛び出すんだもの。あたしでもだめかもしれない」

そのとき母はなにもいわず孫のいうことを聞いていた。

その日から六日間、私は神楽坂にある旅館にこもって仕事に専念した。劇画の新連載が五月から始まることが本決まりになり、数回分の原作を至急にまとめる必要に迫られていた。それに新聞連載をしている小説に対して、読者から適切でない表現があると新聞社に抗議が来て、すでに入稿していた分の原稿を書き直す必要があった。その合間に月刊誌の短編を一本とエッセイを何本か書いた。それでもやり残した仕事があった。だが自宅でなくては書けないものもあった。七日目の昼過ぎ、私は逃亡するように旅館を出てきた。

家に戻り、真っ先にブル太郎の名を呼んだ。廊下の奥から爪音をたてて走ってくる子犬の足音を聞いたとき、私の身体からすべての疲れが飛んでいった。なにもかも許してやるといった吉原の言葉がしんしんと胸に積もるのを感じた。

夕方仮眠をとり、夕食のあと私は二階の書斎に入って机に向かった。時代小説を書く仕事は深夜になっても終わらなかった。ときどき立ち上がって、書斎の隣の書庫に行って資料にあたらなければならず、ささいなことを調べるのにも時間がかかった。

午前三時頃だったろうか。書斎に流れるクラシック音楽の中に床をこつこつと叩く爪の音を聞いた。私は机の前から離れて階下に降りた。廊下を歩いてきた子犬は、暗がりからいきなり現れた人の影に、一瞬びっくりしたようだった。それが私だと分かると、前肢をふわりとあげて股に伸ばしてきた。私はその前肢を取り、かがみ込んで子犬を抱いた。ブル太郎の体から震えが伝わってきた。私はそっと子犬に囁いた。

——おまえはおれがいない夜はこうやって見回りをしてくれたのだな。女ばかりの家だものな。頑張ってくれていたんだな。

子犬を抱き上げると、重みが胸にめりこんできた。二階まで抱いていくと息がきれた。子犬をベッドに降ろして私は隣の書斎で仕事を続けた。三十分ほどするとイビキが聞こえてきた。私はペンを持つ手を空中でとめて、イビキに聞き入った。心の中にやわらかくてほっとする風が吹いてきた。安らぐというのはこういうことだったのかと思った。それは宇宙の果てを自由に旅する夢のような至福の時間だった。

公園の友達

1

昼下がりの公園には他に人の姿はなかった。緑の葉を繁らせた樹木が楕円形の公園に沿って植えられ、その所々に八分咲きの桜の花弁が、眠気を誘うように優雅な色合いを覗(のぞ)かせて揺れていた。ケヤキ、むくの木、マロニエ、そしてプラタナスの葉が互いに呼応しあって春を歌う中で、桜の花弁だけが時折唇をすぼめて微笑(ほほえ)んできた。

私が上を見上げている間、ブル太郎はじっと佇(たたず)んだまま、木々の間から垣間見える紫の山並みに顔を向けていた。

樹木の内側には一周百五十メートルのトラックが走っている。幅は二メートルくらいだろうか。

そのトラックを最後に走ったのはもう十二年前になる。年末の早朝、当時飼っていたパグ犬のブル田を連れてここまで来て、ブル田をベンチの足につないで七周した。ブル田をつないだのは、そうしないと一緒になって駆けだしてくるからだ。肺活量が乏しいパグでは、百メートルを走らせるのも無惨な気がした。

年が替わった数週間後の祝日に、かつての草野球チームの連中と皇居を一周した。四・八キロを二十八分かけてようやく完走した。元早稲田の野球部に所属していた一回り年下の松橋は、三十分たってもゴールに姿を現さず、寒い中待っていた彼の妻を幻滅させた。それが草野球チームの解散式となった。それよりさらに十年前の都大会でベスト8まで残ったことのある、名門といわれた我が草野球チームの選手のほとんどが、塁間を全速力で駆け抜けたあとは、ゼーゼーと喘(あえ)ぎ、こぶら返りを起こしたり、蒼白になって吐いてしまうような悲しい事態を引き起こしていた。解散後は十四名の仲間ともあまり会うことがなくなった。五十歳になるまでの二十年間で失ったのは、河川敷の原っぱで暗くなるまでボールを追い、帰りの中華そば屋でビールを飲み、餃子を食いながら笑い転げていた陽気な仲間たちとの、日常から逸脱した放埓(ほうらつ)な時間だった。そしてブル田を失い、父が七十八歳で家の中から消えた。

2

この公園にブル太郎を連れてきたのは初めてのことだった。公園に来るには、途中で二つの広い横断歩道を渡らなければならず、歩みののろいブルドッグをせきたてて歩かせることを思うと気が重かった。今日ここまで来たのは、春風の気まぐれに誘われたからだろう。危惧していた横断歩道でブル太郎は一度立ち止まる風情を見せたが、尻を軽く押すと素直に前に進み出した。

ベンチに腰掛けてぼんやりしているうちに、久しぶりに走ってみる気になった。ブルゾンを脱ぎ、ブル太郎のリードをかつてブル田にしたようにベンチの足に結んでから、軽く足首をひねり、屈伸をした。見つめてくる犬の黒い瞳に人の影が映っている。なにをする気だろうという不安な表情が皺（しわ）の増えてきた顔に表れている。

私は犬を置いてトラックをゆっくりと走りだした。三十メートルほど行ってから少しスピードを上げた。とたんに足が重くなった。さらに行くと何者かが太腿（ふともも）にぶら下がっているように感じられ、やがて股から下が錆び付いた鉄管のようになってつんのめった。剣道三段、空手二段の看板がむなしかった。

歩いてベンチに戻るとブル太郎はきょとんとした顔で私を迎えた。一緒に走り出そうというそぶりさえ見せなかったこの犬は、ご主人様が悲しみと情けなさにむせている横で、慰めようともせずにぼんやりと佇んでいた。そのうち梢で遊ぶ小鳥に目を向けだした。

夜、ゴルフクラブのヘッドカバーを取り合って乱闘するときは異常な闘争心を見せるが、それ意外のときはなんとものどかな風情でいる。家人の誰にも媚びようとしない態度はたのもしくもあったが、これまでに飼った七匹の犬と較べて、少し物足りない感じがする。母はブル太郎が一番かわいいと近頃では口にするようになっているが、その実一度も顔や手を舐められたことがないので、内心ではさみしい思いをしているようだ。その点では奇妙な犬だった。

ベンチに座って息を整えると、今度は喉の渇きを覚えた。私は犬をそのままにして公園を出た。通りの向かいにある小学校は春休みで静まりかえっている。その隣にあるコンビニでビールを買って、公園の入り口に戻った。

ブル太郎の姿はそのままあった。そこに可愛いお客さんがふたりいた。小学校低学年の女の子でなにやら歓声を上げている。

近づいてみてその原因が分かった。ふたりの足下に二匹のミニチュア・ダックスフンドがいて、しきりにブル太郎にちょっかいをかけている。二匹のコンビネーションは絶妙で、一匹が前足を狙うと、もう片方は顎に飛びつこうとしている。ブル太郎はただ茫然と突っ立っている。

「やめなさいよ」「嚙みついちゃだめ」

ふたりは口々にいって手にしたリードを引くのだが、強く引いては犬の頸がしまってしまうので、戸惑いながら緩めることもしている。

「やあ、こんにちは」

私はそういって缶ビールのプルタブを引き上げた。赤い服を着た女の子がはっとした顔でこちらを見た。縞模様の服の子は何気ない様子で目を上げた。ふたりとも顔立ちのよい子だった。姉妹ではなく同級生のようだった。

「こんにちは」と赤い服の子が挨拶を返してきた。そのときブル太郎がこちらを振り返った。黒目を囲っている白い部分が広がった。そうすると困ったような表情になる。

「この子たちは親子なのかな」

少し小振りな方が甲高い声で吠えている。ブル太郎の顎に飛びつくたびに尻餅を着く感じになるのでなんだか愉快になってくる。

「こっちがおかあさんでこっちがジョン」

「これ、おじさんの犬?」

そう、おじさんの犬、といって私はベンチに座ってビールを飲み、ベンチの足にかけていたリードを手にした。ちいさい方のダックスフンドがブル太郎の右足に噛みついた。ブル太郎はちょっと頸を傾げるようにしてから二匹に尻を向けた。今度はお母さん犬は用心深く尻の臭いを嗅ぎだした。ジョンの方は相変わらず泣き声をたてながら飛びかかっていく。やめなさいってば、と赤い服の子がいった。

「これ、なんの犬？」と縞模様の子。

「ブルドッグだよ」

「えーっ！　ブルドッグ⁉」

ふたりは異口同音に叫んだ。見事なほど重なった。

「ジョン、やめなさい！　あんたじゃやられちゃうわよ」

「嚙まれたら死んじゃうよ」

「大丈夫、この犬は嚙まないから、遊ばしてやりな」

「えっ？　嚙みつかないんですか」

赤い服の子が紅潮した頰を向けて私を見た。その丁寧な言葉遣いにちょっと驚いた。しつけの厳しい家庭に育っているのだろう。あるいは両親の普段のおおらかな生活態度が、この子にいい影響を与えているのかもしれない。

「ああ、ブルドッグは自分からは喧嘩を仕掛けることはないんだ」

「かしこい子なのね」

「ブルドッグっておっかない犬だと思っていた」

「わたしも」

「おじさんも飼うまではそう思っていた。獅子舞みたいな顔しているからね」

ふたりは顔を見合わせてくすくすと笑った。

「でもね、本当は心のやさしい犬なんだ。このこわい顔の内側には深い愛情がいっぱい溢れているんだよ」

散歩の途中で犬と出会うことは多いが、相手の犬がどんなに吠えてもブル太郎は無関心でいる。見向きすらしない。多分それはブルドッグの性格なのだろう。

ミニチュア・ダックスフンドの親子はまだ挑発を続けていたが、女の子はもうそれをやめさせようとはしなかった。リードを緩めて親子を見つめる表情があたたかく、愛らしい。

「ホントだ、ひっかかれてもじっとしているよ」

縞の服の子がそういって腰を下ろし、恐る恐るブルドッグの背中に手を伸ばした。その手が触れられるとブル太郎が振り返った。キャッとその子はいって両手を上げた。赤い服の子は手にしたリードを離してブル太郎の前に来てふわりと両手を伸ばすと、ためらうことなく皺の多い、四角い顔を撫(な)でた。その行為に対して、ブル太郎は初めて反応を示した。女の子の手から足にかけて匂いを嗅ぎ出し、続いてスカートの中に顔を突っ込んだ。やだあ、といって女の子はスカートを押さえて立ち上がった。その声を聞いて、親のダックスフンドが女の子の足下に走り寄った。一緒にジョンもついていった。解放されたブル太郎は「クシュン」とくしゃみをひとつした。

「面白いものを見せてあげよう」

私はそういってブル太郎の両耳に手をあてた。

「こうすると、あざらしになる」

犬の両耳を後ろに絞って、その顔をふたりの正面に向けた。

「わあー、ホントだあ」

「あざらしだあ」

そしてね、といって私は犬の顔を横に向けて額の皺を伸ばした。

「こうするとゴジラになるんだ」

キャーっとふたりは悲鳴を上げた。手を口にあてて笑っている。

「おもしろーい」

「ブルドッグってあざらしにもゴジラにもなるんだあ」

ふたりが笑い転げている足下でミニチュア・ダックスフンドの親子が何事かとうろうろしている。ブル太郎はフンと鼻を鳴らした。喜んでいるようには見えなかった。

「ブル太郎、友達ができてよかったな」

「ブル太郎っていうんですか」

「そう、ブル太郎」

「いくつなんですか」

「あと一週間で丸五ヶ月になるんだ」

「えっ、こんなに大きいのに五ヶ月なの。うちのルリちゃんは五歳で、ジョンは一歳と七ヶ月なの」

赤い服の女の子はそういって親子を撫でた。私はカラになった缶を潰して立ち上がりブルゾンを着た。

「じゃあ、ルリちゃんとジョン君、またな」

「ブル太郎、バイバイ」

ふたりの女の子は手を振ってくれたが、ブル太郎はまったく関心を示さなかった。百面相をやらされたことで気分を害しているのかもしれなかった。

「キャー！」

「おじさーん！　たすけてー」

公園の出口に差し掛かったところで女の子の悲鳴を聞いた。振り返ると黒い大きな犬がダックスフンドの親子を転がしている。そばに黒いトレーナーを着た太った女がいるが、犬を制しようともしないで突っ立っている。私は急いで駆けつけようとした。だがブル太郎がのたのた走るので思いのほか時間がかかった。

「やめてー」

ジョンを抱きかかえた赤い服の女の子に黒い犬が跳びついた。そばに行ってその犬の大きさにびっくりした。まるで黒豹のような犬だった。そんなでっかい犬は見たことがなかった。そばにいた女は「シッシッ」というだけで犬を押さえようとしない。見ると犬は首輪をしているがリードをつけられていない。リードは女の手に巻かれている。

「何をしているんだ。犬を押さえろ」

黒い犬は女の子の手に抱かれた子犬に牙をたてている。じゃれているのではなく、本気で噛みついているのだ。ふたりの女の子の泣き声が樹木の間に鋭く響いた。

「シッシッ」

女は黒い犬の背中を軽くリードで打った。

「押さえろ！」

私は怒鳴った。そんな大声を出したのは数年ぶりだった。女が初めてこちらに顔を向けた。吹き出物の浮いた丸い顔だった。その中に赤い鼻があり、細い目が極端に中央に寄っている。女は私の声を無視してリードを黒い犬の背に当てた。黒い犬はまったくひるむ様子もなく、女の子の腰に前足を回して子犬をいたぶり続けている。母犬がけなげに黒い犬に跳びついていくが、黒い犬の膝をかすめるだけだ。

「やめて下さい。おじさんたすけてー」

黒い犬は女の子の腕にも噛みついている。それでも女は自分の犬を押さえようとしない。世の中にこんな酷い女がいるのかと、私は憤りに身を震わせながらブルゾンを脱いだ。それを鞭のように使って黒い犬の頸めがけて打ちつけた。

「何するんだよ!」

女が叫んだ。私はためらわずに狙いを定めてもう一度ブルゾンを黒い犬の頸に打ちつけた。

黒い犬がこちらを向いた。女の子の身体に置いた前足を降ろすと、こちらを睨み付けて低く唸った。黒い毛の中に不気味な目が光っていた。その目の高さは私の胸くらいまである。不意に獣の臭いが鼻を刺してきた。

私はブルゾンを左腕に巻き付けて身構えた。もう飼い主の女のことなど眼中になかった。左腕のブルゾンに黒い犬を噛ませ急所を蹴り上げるつもりだった。黒い犬が牙を剝いた。

「ウオン」

そのとき、私の足下からひどくのどかな吠え声が響いた。ブル太郎が四肢を踏ん張って黒い犬に体を向けていた。黒豹のような犬に較べるとブル太郎の姿は縫いぐるみのようにあどけなかった。黒い犬は前歯を剝きだし、頸を低くして前ににじり出てきた。唸り声が地面を這った。

「ブル太郎やめろ」

そういった瞬間、茶色の背中が跳躍した。

「ギャン！」

黒い犬の長い鼻先に、ブルドッグが嚙みついたままぶら下がっていた。黒い犬は絶望的な泣き声をたてて横転した。太った女が悲鳴を上げてブルドッグの背中をリードで打った。ブルドッグは嚙みついたまま唸り声をたて続けた。黒い犬の体が痙攣した。

「もういい、やめろ」

私がブル太郎の頸に手を回すと、やっと口を離した。気を失ったようになっていた黒い犬は、バネ仕掛けのおもちゃのように起きあがるなり、公園の出口に向かって逃げ出していった。その後ろを女が何事かののしりながらよたよたと駆けていった。

ふたりの女の子に抱かれた二匹のミニチュア・ダックスフンドが震えていた。

「病院に行こう。嚙まれたところを診てもらうんだ」

そういうと、目にいっぱい涙をためた赤い服の女の子は、黙ってこっくりと頷いた。それから足下にいるブルドッグを見た。

ブル太郎はフンとひとつ鼻を鳴らして公園の奥に視線を向けた。少し目が充血していたが興奮が続いているようには見えなかった。

闘犬の血だ、と思った。遠い昔、先祖が雄牛と闘っていた時代の記憶が、まだ幼いブルドッグの体に流れる血を沸騰させたのだ。

私が歩き出すとふたりの女の子が続き、その後ろをブル太郎がのっそりと歩いてきた。

闘犬の面影

1

夜風に初夏の匂いが混じっていた。曙（あけぼの）を懐かしむ春は過ぎ、若者がたくましさを競う熱風の季節が、深い青みの彼方から近づいてきていた。家の前でゴルフクラブを振りながら、その前に来る梅雨を、どうやって乗り切ればいいのかと私は不安に感じていた。もともと湿気に弱い体質の身体（からだ）は、二つの大きな手術を経験したのち、クーラーの放つ冷気を受け付けなくなった。

ぐわふぐわふという音が、角の向こうから聞こえてくる。ブル太郎が散歩から帰ってきた。暑くなって苦しむのはブル太郎も一緒だった。ブルドッグは寒さ暑さに弱く、ことに初めて経験する夏は用心が必要だと専門誌に書かれてあった。

どんな犬にとっても暑い季節の夕方の散歩はつらく危険だ。日中の熱気を溜めた道路の反射

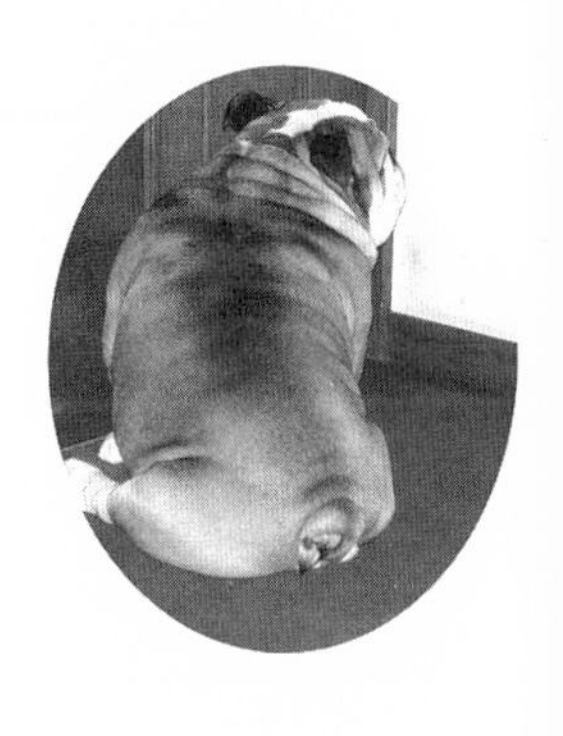

が、犬をへばらせる。それに犬の足の裏は熱に敏感で、熱を受けると体力を消耗させる。

角を曲がってブルドッグが街灯の下に現れた。首筋から胸を覆った白い毛が、正面を向いたブル太郎を鸚鵡(おうむ)のように見せている。一瞬立ち止まって、家の前に立っている人物を四十メートル向こうから観察した。鑑定が済むと再びがーがーと喘(あえ)ぎ声をたてながら歩き出した。

今夜、散歩させているのは立花だ。彼が羽田空港に迎えに来てくれた人物だということを、ブル太郎が覚えているのかどうか、判断がつかない。立花が来ると、ブル太郎は一応歓迎した様子はするが、遊び相手をしてくれないと知ると、どこかへ行ってしまう。

「大きくなりましたね。もう子犬のときの面影はないですね」

生後七ヶ月のブル太郎の体重はすでに二十キロを超えている。久しぶりに見る立花にとっては犬の迫力は数倍になっているはずだ。毎日接している家人にしても、犬の成長には驚いている。それだけでなく、妻はときどきブル太郎の唸(うな)り声がおそろしくなるという。

「革のリードをくわえて離さないから、取り上げようとしたらいきなり噛みついてきたのよ。この犬の性格がこわくなったわ。ほらこんなになっちゃった」

そういって犬の歯形がついた手首を見せたのは数日前のことだった。それは犬がまだ子供で遊びに付き合ってほしいからだと私はいったが、妻は納得していない様子だった。体は大きくなっても、まだ、性格はやんちゃ坊主のままなのだ。

「ブル太郎君はやっぱり強いんですね」

　立花は門柱の陰で荒い息を吐いている犬を見下ろしながらそういった。なにかあったのか、と私は訊いた。私の姿を認めたはずのブル太郎は、そばに立っている飼い主に散歩帰りの挨拶をしようとしないで、佇（たたず）んだままがふがふとやっている。変わった性格の犬だった。

「陸橋のところで真っ黒い犬が突然走ってきたんです。後ろからデブの女がついてきてたけど、リードをつけてなかったから、犬は勝手に走ってきたんです。すごくでっかいし、暗いところからいきなり現れたからぼくはびっくりしましたよ」

　二ヶ月前のあの犬だな、と私はすぐに思いあたったが、黙っていた。

「ぼくはとっさにブル太郎君をかばおうとしたんだけど、うまく身体が動かなかったんです。黒い犬はスピードを落としてブル太郎君に口を向けたから、やばいなと思ったら、そいつは急に弾かれたようになって車道に飛び出していったんです。なんか火炎砲にでも当てられたような感じでいきなり逃げていった。ブル太郎君は何にもしていないんですよ。ただちょっと黒い犬に向かって顔を上げただけなんです」

「それで飼い主の女はどうした？」

「あわてて追いかけようとして車道にけつまずいて無様に転んでいました。あんなでかい犬にリードもつけないで走らせている無法者の女ですからね。そのまま打ち捨てておきましたよ。

そうそう、反対車線から来た車が黒い犬を見て急ブレーキをかけてました。もう少しではねられるところでしたね。運転していた親父が車から出てきて、どこの犬だ、と怒鳴ってましたよ」

話している間、ブル太郎は口を大きく開いて涎を垂らしている。もう家の中に入りたがっている様子だった。私は立花からリードを取って、門扉を押した。ブル太郎は待ちきれずに頭で門扉を押し開け、玄関に続く石段を一足飛びに駆け上がっていった。そういう登り方しかできない犬だった。途中で息をつぐことが苦手らしい。

「やっぱりブルドッグの貫禄なんですかね。犬には相手が強いのが分かるんですね。なんたって元闘犬だものな」

「闘犬の面影はもうないよ。いまはただのペットだよ」

「そうですかねえ、やっぱDNAは消せないんじゃないですかね」

家に入り、私は風呂に入る準備をした。立花は夕飯を待つ態勢になって居間のソファに座った。ブル太郎は水を飲んだあと、廊下に腹這いになって息を整えていた。

風呂から出ると、まだ飯を喰っている立花の横でビールを飲んだ。訪問を知らせるチャイムが鳴ったので受話器を取ると、宅急便の配達だった。いつものように門扉の内側に置いてくれと伝えると、冷凍物なので玄関まで持って上がるという。

「こんな時間まで配達しているんですね」

「そろそろ中元の季節なんだろう」

私はグラスに入ったビールを飲みほしてやおら立ち上がった。玄関から悲鳴が聞こえたのはそのときだ。何事かと出てみると、夜の灯の中に帽子を被った男の影が浮き出ている。私は玄関のライトをつけた。

「なんすかこいつは！」

いつも配達にくる中年の男ではなく、若い男だった。段ボールを持ったまま身じろぎできずに怯えている。彼の腰にブルドッグが太い両腕を回し、顔を股間に突っ込んでむしゃぶりつくように臭いを嗅いでいる。後ろ足で立ったブルドッグにとって、彼の股間はほどよい高さになっている。

「わっ、おい、やめろブル太郎」

飯を頬張った立花が靴下のまま床に降りてブル太郎の脇の下に手を回した。ブル太郎は股間から顔をはずさずに低い唸り声をたてた。

「う、唸ってるよ。嚙みつくんじゃないの。早く離してくれよ！」

若者の額から汗が吹きだしている。私は彼の手にした宅配便を取ってから、ブル太郎を横から覗き込んだ。気配を感じたブル太郎が片方の目をこちらに向けた。爬虫類のような目の動きだった。

「すごい力ですね。全然離さないですよ」

ブル太郎の唸り声に気を呑まれた立花は、犬の肩に手を置いてあきれ顔でいった。

「痛いですよ。爪が食い込んでいますよ」

両腕が自由になった若者は玄関のドアに手を置いて後ずさりした。ブル太郎は彼の動きに合わせて追いつめていく。

「しっかりがぶり寄ってますよ」

ふざけていったわけではないのだろうが、立花の言葉は若者を激怒させた。

「冗談はやめろよ！　離させろよ！」

怒鳴り声が静かな住宅街に響いた。私はブル太郎の尻尾（しっぽ）を撫（な）でてから、若者の腰に回していた前足を慎重にはずした。股間から犬の顔が離れると若者は脱兎（だっと）のごとく石段を駆け下りていった。

「すまなかったな」

私は降りていってそう声をかけたが、彼は返事をせずに車を発進させた。部屋に戻って残っているビールをグラスについだ。

「あいつ、こわかったでしょうね。あの顔が股間にあるんですからね」

「チャイムが鳴ると、よくブル太郎は玄関のドアの前まで行って待っているんだ。配達人はいつもの調子でドアを開けたんだろうが、まさかブルドッグが下で待ちかまえているなんて思わなかったんだろう」

「でも、実際に噛みつくことはないですよね」

うん、それはない、と私は答えた。二ヶ月前に黒い犬に対して見せた異常な闘争心が、人に向けられることはないだろうと改めて言い聞かせていた。あれは人を守るために起こしたとっさの行動だったのだ。廊下で寝そべっているブル太郎はもう寝息をたてていた。

2

赤坂の事務所兼仕事場にこもって、劇画の原作と新聞の連載小説を書いていた。五月の連休前から連載が始まった「ブル田さん」はすでに五回の掲載回を数えていて、主人公の野球の選手と四歳の娘、お手伝いのおばさん、そしてある日空から降ってきたパグ犬のブル田さんの「四人」の生活が忙(せわ)しく回転しだしていた。

この物語には、「いつか娘に伝える話」という副題がついていて、それは原作者の私の理想を表現している。読者にはそれがどんな内容で、いつかとはいつのことなのか、知らされていないが、私の胸の内では、その日は厳然と存在している。それは四歳の娘が成人して、宇宙パイロットとなって宇宙船に乗り込む日以外にありえない。その時、父は何を娘に語ろうというのか。少女時代の娘に襲いかかった幾多の災難を救ったパグ犬の話であろうか、それとも壊滅していく地球を救う人間として、神から選ばれた娘の過酷な運命についてであろうか。その答えを模索しながら、私は物語を書き進めていく。そして、私の胸の内には、つぶらな瞳でいつも私を見つめていた心細げなブル田さんの姿が息づいている。そう、この「ブル田さん」物語は、四歳の若さで逝ってしまった愛犬への鎮魂歌なのだ。それを週刊誌で劇画として復活できる機会を与えられた私は幸せ者だ。

個人用の電話が鳴ったので時計を見ると、九時になっていた。妻からだった。仕事場に電話をかけてくることはほとんどないので、何か事故でもあったのかと危惧した。

――今日田舎の母から電話があって……。

足もみのマッサージ機が欲しいといってきたという。それでそれを持って明日茨城に行こうと思うという。

――身体は心配ないの。でも今年はお正月に帰ったきりだからさみしがっているのよ。

義母にとって妻はたったひとりの娘だ。妻には男の兄弟が三人いる。帰ってやったらいい、と私はいった。

電話の向こうから娘の笑い声が響いてくる。友達が来ているのかと訊くと意外な答えが返ってきた。

――ブル太郎がおかしくて。熊を見せたら跳び上がってしまって。それを奈美が面白がって何度もやるものだから。

あはは、と娘の突き抜けた笑い声が聞こえてくる。もうブル太郎には何日会っていないのだろうと考えて、仕事場に三日間泊まり込みだったことを知った。明日からは時代小説を書く予定になっていた。資料は自宅の書斎に積まれている。

これから戻ると伝えて、私は帰り支度をした。駐車場まで降りると雨が降ってきた。生暖かい風が雨を斜めにとばし、真っ黒い巨木がざわついた葉音をたてた。

五十分後に家に着いた。玄関を開けたが笑い声は聞こえてこなかった。奥の和室を覗くと娘がひとりでテレビを見ていた。その傍らでブル太郎がへばった様子で畳に腹這いになっていた。

ママはお風呂、と娘はいった。

「熊を見せると跳び上がるとかいっていたが、どのことだ」

あれ、といって娘は本箱の上に置かれた木彫りの熊を指さした。それは高校生の私が北海道をひとりで旅した折りに、白老(しらおい)で買ったものだ。二千五百円の値札がついていたものを、半額に値切って買った青春時代の記念のおみやげだった。あれから三十五年、木彫りの熊は引っ越しのたびに一緒に移ってきた。

私は熊を手にした。足の裏にはコタニと彫り師の名が彫られているのも昔のままだった。その熊の鼻の頭が傷ついている。

「この傷はどうしたんだ」

「ブル太郎が噛んだ」

娘はあっけらかんと返答した。青春の記念品はあっさりと傷物になった。私はそれを無念無想の表情で腹這いになっているブル太郎の顔の前に突き出した。

ブル太郎の目がギロリと動いた。

「あ、そうするとまた暴れるよ。もう疲れているからやっちゃダメだってママがいってたよ」

そうか、といって熊を引こうとしたとき、目の前の黒い波がいきなり盛り上がった。グワッと声を立ててブル太郎が牙を剝いた。熊の鼻に歯がたった。

「熊を振ると跳び上がるよ」

私は犬の鼻面に熊を置いて、その体を振ってみた。するとブル太郎は後ずさりをしながらぴょんぴょんと跳び上がりだした。そうしながら、ワンと吠えている。その跳び上がる様はまるで焼けた鉄板の上で踊る猫のようだった。そんな滑稽なブル太郎の動きはこれまで見たことがなかった。

「あら、またやっているの」

風呂から上がった妻が後ろに立ってそういった。ブル太郎は家族を見向きもしないで、木彫りの熊と向かい合っている。だがその体勢は明らかに劣勢で跳び上がりながら後ずさりする方が多い。熊を胸元に突き出すと泡喰ったようにとびすさり、テーブルの向こうに行って頭を下げて熊の様子を探り出した。

「ね、おかしいでしょ。ほかのものはなんでもないのに、木彫りの熊をこんなにこわがるなんて、どうしてかしら」

「DNAなのかもしれないな」

立花がいっていた言葉が自然に口をついて出た。DNAってなに？　と娘が訊いた。

「遺伝子のことだ。先祖の記憶がこの犬にも受け継がれているのかもしれないな」

「雄牛と喧嘩させたんじゃないの」

「そう、雄牛をつないでその鼻面にブルドッグを飛びつかせて見せ物にしたんだ。イギリス人というのは案外残酷だからな。熊とも戦わせたのかもしれない。熊は小動物をとらえるときは自分の胸に両腕で抱き込んで潰していた。その恐ろしい記憶をブル太郎も受け継いでいるのかもしれない」

そう話している私の向こうで、ブル太郎はワンと妙に可憐な声で吠えた。

オオタカ

1

階段を駆け上がる足音が書斎まで響いてくる。軽い体重だな、と感じているとパパ、とドアの外から娘が呼びかけてきた。う、と唸（うな）っている間にドアが開かれた。一瞬だが、私はそこに小学二年生の娘が出てくる錯覚にとらわれた。だが、顔を覗（のぞ）かせたのは中学三年生の娘だった。なぜ、八歳の娘を想像したのだろうと自分自身いぶかしく思った。

「パパ、ブル太郎が鳥を食べているよ」

「トリだあ？」

ケンタッキー・フライドチキンをむしゃむしゃ食っているブルドッグの姿が目に浮いたが、そんなわけはないとすぐに否定した。

「庭で鳥を食べているよ」

私は書斎を出て、寝室の窓を開けた。その下が庭になっている。それほど広くはない庭には季節ごとに花の咲く木が植えられている。湿りを含んだ茹(う)だった空気の下で、あじさいの花が瑞々(みずみず)しく咲いている。

「あそこ」

隣で娘が腕を伸ばした。隣家との境にはブロックが二段積まれている。その分だけ隣の敷地は高くなっている。そのブロックから二メートルほど離れた紅葉(もみじ)の木の根元近くにブル太郎がいた。後ろ姿になっていたが、前肢の間に鳥が横たわっているのが垣間見えた。

「鳥を捕まえたんじゃないの」

そうかもしれないが、食べているようには見えなかった。むしろ身構えているようだった。ブルドッグ特有の高い腰に緊張が走っている。

「鳥は傷ついているのかもしれないな。とにかく降りてみよう」

私が先に階段を降りた。二階には娘の部屋もある。そのベランダから見ていたのだろう。

「あ、猫がいる」

リビングルームに入ると、あとから来た娘がすぐにいった。だが私には見えなかった。網戸を通してブル太郎が地面に横たわった鳥に顔を寄せているのが見えただけだ。

「猫も鳥を狙っているよ」

網戸を開けて初めて猫がいるのが分かった。隣家の一段高い庭から、爛々と目を光らせて鳥を見つめている。網戸を開けたときだけ耳をレーダーのように回したようだが、逃げるそぶりは見せなかった。

「ボス猫だな」

去年の暮れあたりから、この近辺を徘徊(はいかい)しだした野良猫だった。だれかが餌を与えているらしく、野良猫はどの飼い猫よりもたくましかった。朝早くから、ガーガーと錆び付いたいやな鳴き声をたてながら、あたりをえらそうに睥睨(へいげい)して歩いているのがこの野良猫だった。

「ウオン」

ブル太郎が軽く吠えた。猫を牽制したような吠え方だった。猫は隣家との境界にあるステンレス製の柵の間に顔を置いている。あたりに注意を払う様子はなく、その視線は一直線に鳥に注がれている。鳥の羽根が弱々しく動いている。

「食べているのかな」

「いや、食べてはいない。猫が鳥を狙っているのをガードしているんだ。やっぱり鳥は怪我(けが)をしているんだろう」

「助けてあげようか」

「そうだな」

私はつっかけに足を入れた。娘が網戸を大きく開いた。

「ブル太郎、だいじょうぶだよ」

娘が声をかけた。ブル太郎は耳をそばだてた。そのとき、蹲(うずくま)っていたブチ色の物体が身を伸ばして跳躍した。合わせてブルドッグの筋肉質の体が伸び上がった。だが、猫の方が素早かった。猫は着地するなり鳥をくわえた。

「あっ！」

娘の悲鳴がゆるんだ空気を凍らせた。その声が思いがけない光景を展開させた。

くわえられた鳥が瞬時に猫の顔に嘴(くちばし)を突き立てた。すると猫の動きにひびが入った。なにかのけぞるような仕草を見せた。その猫の背中にブル太郎がジャンプして覆い被さった。獣のような唸り声が低く響いた。

「グエーッ！」

喉(のど)が潰れたような鳴き声を放って猫は身を震わせた。ブルドッグの下から驚愕して泡を吹いた猫の顔が現れた。両目が吊り上がったその凄惨な顔は、子供の頃に見た、化け猫映画に出てくる血塗れた唇をもつ猫そのものになっていた。

猫は必死で犬を振り払うと一目散に逃げた。物置を直角によじ登ろうとして蔦(つた)に足をかけたが、自分の体重を支えきれずに尻から落ちた。そんな無様な猫の姿を目にしたのは初めてだった。私は思わず笑ったが、娘は笑わなかった。ブル太郎は猫を追いかけようとはせず、娘の傍らに佇(たたず)んで鳥に鼻を寄せていた。

「今の猫、見たか。口から泡を吹いていたぞ」

泡を吹いた猫を見たのも初めてだ。見ながら、酒場での話題になるなと私は暢気(のんき)なことを考えていた。

「血が出ている」

娘は膝を折って、鳥を覗き込んだ。胸の灰色っぽいあたりが血で黒ずんでいる。全体に茶褐色の尾の長い鳥だった。最初はオナガかと思ったが体つきが違う。体高は二十センチほどだが、翼が甲羅のように固そうだった。どこかで以前に目にとめたことのある鳥のような気がしたが、種類は思い浮かばなかった。

鳥の目には力が張りつめていて、犬と人間を見つめながらしきりに翼を動かそうとしている。しかし、数センチ浮上すると前のめりになって傾き、翼を地面に着けてしまった。

「あ、ブル太郎、だめだよ」

ブル太郎は鳥の胸に顔を寄せて臭いを嗅いでいたが、やがて舌を出して舐(な)めだした。それを娘は犬が鳥を食べてしまうと思ったのだろう。ブル太郎の頭をあわてて押さえた。だが、ブル太郎は意に介さずに舐め続けている。不思議なことに鳥も観念したのか、翼を地面に置いて横たわってされるがままになっている。

「傷口を舐めてやっているんだ」

「鳥を犬が介抱しているの？　そんなことってあるの？」

「普通はないだろうなあ。だが、ブルドッグってやつは変わっているからな、何をしでかすか分からないからな」

「ブル太郎がヘンなんじゃないの。この間あたしの部屋に入ってきて、Tシャツに頭を通して喜んでいたよ」

「それは普通さ」

私はブル太郎の肩を叩いてから鳥を取り上げた。鉤のような爪が私の腕を刺した。そのひと刺しで血が滲（にじ）んできた。鳥は私の掌（てのひら）の中で暴れた。胸毛は柔らかかったが、翼はしっかりしていた。だがその翼もどこか折れているようで、動きはぎこちなかった。

私が立ち上がると、ブル太郎が眉間に皺を寄せて、心配そうに見上げた。一見、無表情なその顔つきからでも、この犬の心情は手にとるように分かる。

「どうやら、散弾で撃たれたようだな」

「撃たれたの？」

「ああ。ひどいことするやつがいたものだ」

私もクレー射撃をするので、散弾銃で撃たれた傷が鳥にどのような被害を与えるか想像できる。だが、私自身は猟をしない。クレー射撃場で開催される月例会に参加して点数を競っているだけだ。もっとも私はいつも下から二、三番手で、トップクラスには元オリンピックの候補がひしめいている。その下に地元のやくざ連中が食い下がっている。

「とにかく、獣医に診せよう」

娘は震える眼差しで頷(うなず)き、ブル太郎は哀惜をたたえた目で私の手の中にいる鳥を見つめていた。

2

電話で問い合わせた獣医は銃で撃たれた鳥を診てくれというと、ちょっと沈黙したあとで、ではどうぞ、といって病院までの道順を教えてくれた。私は釧路からやってきたブル太郎が入れられていたペットケージに鳥を入れて、娘と一緒に車で動物病院に向かった。

娘はペットケージを覗き込んで、これは何の鳥と私に訊いてきたが、私は答えることができなかった。娘は今にも泣き出しそうな顔をしていた。その横顔を見ながら、私はさっき娘が書斎のドアを開けたとき、そこに八歳の娘が出てくるような錯覚を覚えた理由に思い当たった。

ある年のことだった。二ヶ月で帰ってくる予定で南極に行ったが、帰りに寄り道をして帰国が一ヶ月遅れた。それが家の者にどういう作用を及ぼしたのか分からない。家に戻ると私の書斎に娘の机が入っていた。

どういうわけだと家人に訊くと、この部屋ではもう仕事をしないと思って、と普通の表情で答えた。当時仕事場は笹塚にあった。それでもときには家でも書き物をすることがあった。だが、いさかいは面倒なので、そのまま打ち捨てておいた。

ある日、書斎の机に向かって万年筆を走らせていると、不意にドアが開いてランドセルを背負った娘が無言で入ってきた。父が仕事をしている姿に気後れする様子もなく、自分の机の前に座るとノートを広げた。それから数分の間、父と八歳の娘は背中合わせに、それぞれやるべきことをした。しかし、どうにも落ちつかなかった。二階の日本間を娘の部屋に作り替えたのはそれから間もなくのことだった。娘の机がなくなると、そこだけ空虚になったのを覚えている。

「オオタカですね、これは」

まだ三十前の獣医はそういって翼を広げた。

そうか、オオタカだったのか、と私は思った。娘はきょとんとして、獣医と傷ついた鳥を見比べている。

「まだ生まれて数ヶ月でしょう。散弾で撃たれていますね。何ヶ所かな。調べてみましょう」

処置台の上に置かれたオオタカは、動転した目で周囲を眺めた。生まれて数ヶ月で、人間や犬と接した鳥はもう野生に帰ることはできないのではないかと私は思った。

獣医は鳥の胸にくいこんでいた直径二ミリほどの弾をまず取り出した。それから時間をかけて四ヶ所から散弾を抜き取った。帰るときのオオタカは包帯を体中巻かれて、まるで雪の中から顔を覗かせているようにあどけなかった。

「死なないですよね」

そう訊いた娘に若い獣医は首を傾(かし)げてから呟(つぶや)いた。

「餌がむつかしいでしょうね。これは猛禽類ですからね。普通の小鳥の餌とは違いますからね」

その餌がどんなものであるのか、獣医は説明をしなかった。それから、一万円札を差し出した私に不足分の金額を請求した。

家に戻った私は、どうすべきか考えた。ひとりの紳士の顔が浮かんだ。同じゴルフクラブのメンバーで、一緒にコースをラウンドした記憶はあまりなかったが、温厚なその人が大の鳥愛好家であることは聞いて知っていた。クラブの会報にも八王子の鳥について寄稿していたこともあった。私は会員名簿を開いて、小宮真一さんの名前を探した。

3

小宮さんが持ってきてくれたケージを玄関にある犬小屋の横に置いて、オオタカを中に入れた。立派なケージで犬小屋より大きいくらいだった。冬は段ボールの箱で作った小屋にブル太郎は寝ていたが、春になって犬小屋が置かれるようになった。六月になると、庭にもうひとつ犬小屋ができた。ブル太郎は庭と玄関のどちらを別荘とするのだろうと母は興味深い疑問を投げかけて、息子と嫁を苦笑させた。

「高尾山に営巣していたんでしょう。先日山火事がありましたよね。そのとき親鳥とはぐれたのかもしれないですね」

小宮さんは慈愛に溢れた目でオオタカを眺めていた。すでに会社を退職して五年以上になる小宮さんは、野鳥を写生しに山に入ることで人生の幸せを噛みしめている。子供の頃から鳥を追いかけていたという。

「四月に産卵したとしても、まだ三ヶ月たっていないな。あと一月もすれば巣立ちできるところだったのになあ。こんな鳥を撃つなんてとんでもない密猟者だな。これは保護鳥で捕ってはいけないいんだ」

細い頬に皺を寄せて、小宮さんは眼鏡の奥の目を曇らせた。

「密猟者を取り締まることが大事なのに、政府は真面目に取り組もうとしない。だから密猟者は好き勝手に保護鳥を捕っている。保護鳥だからこそ高く売れるんです。このオオタカを剝製にすれば飛ぶように売れる。オオタカは金持ち連中にとってはステータスシンボルになっているんです。ひどいものだ」

いつもは穏和な小宮さんの顔が強ばった。

「オオタカって鷹狩りに使うんでしょ。それを飼う人がそんなにいるんですか」

「そう、いるんです。内緒で飼うんです。鷹狩りに使うわけではないけど、ただ飼って人に自慢するんですよ」

「密猟者というのはどんな連中なんですか」

「猟を趣味にしているやつらですよ。それを暴力団が買うんです」

私はクレー射撃に来る人たちの顔を何人か思い浮かべた。

「いくらくらいで引き取るんですか」

「卵で一個、二十万円はするでしょう。雛なら一羽百二十万円です」

「そんなに！」

「それが今の相場だと聞いています」

私たちは少しの間押し黙って、ケージの中で横たわっているオオタカを眺めていた。

「餌はなにをやればいいんですか」

「鶏肉でいいでしょう」

「山ではなにを食べているんですか」

「自分ではまだ狩りはできなかったでしょうね。親鳥はハト、キジ、ヒヨドリなどを捕って食べていますよ」

「ハトを食べるんですか」

そう訊くと、小宮さんはちょっと驚いたように目を上げた。それから微笑(ほほえ)んだ。

「ええ、そうですよ」

それを聞いて私はあっけにとられた感じで後ろを振り返った。そこにいた娘は神妙な様子で、そしてさして驚いた様子も見せずに頷いていた。ブル太郎は四肢をだらりと伸ばして、廊下に俯(うつぶ)せになっている。その目はペットケージの中のオオタカに向けられていた。

用心棒

1

翌日、小宮さんは傷ついたオオタカのために、寝床を二つ持ってきてくれた。藁をざっくり編んでスープ皿の形にしたものだった。ケージの隅に横たわったオオタカは、瞳の周囲が金色に輝く鋭い目で、玄関に佇んだ男の影を見つめた。ケージの横で寝そべっていたブル太郎がのそのそと立ち上がって、小宮さんのズボンに低い鼻を寄せて臭いを嗅いだ。
「寝床が二つ必要なんですか」
「ひとつは下に置いて、もうひとつは傷がよくなって翼が動かせるようになったときのために、上に置いたらどうかと思ってね」
小宮さんはそういって静かに微笑んだ。細くなった頬に細かい縦皺が走った。眼鏡の奥の目が柔和な色合いに染まっている。

鳥をスケッチするのが趣味なだけではなく、小宮さんの心の内には、鳥への慈愛が溢れていることを知った。

同じゴルフクラブのメンバーとして、クラブで会えば私たちは挨拶を交わすが、年齢が二十くらい離れているせいで、特別親しく話をしたことはなかった。オオタカの一件がなければ、私はずっと小宮さんに電話をかけることがなかっただろう。

玄関に置かれたケージは八十センチほどの高さがある。小宮さんは屈み込んでまず下の扉を開いて寝床を入れた。オオタカが目を回して翼をせわしく動かした。包帯で巻かれた胴体が巨大な繭のように揺れた。

次にケージの外から二本の細い梁(はり)を渡し、そこに二十センチ四方の板を置いた。板の裏には二本の溝が彫られていて、梁にぴったりはまるように工夫されていた。このオオタカのために、一生懸命鑿(のみ)で板に溝を掘っていた小宮さんの様子を想像すると、気持ちがなごんだ。

「ま、どうにか形になったかな」

ケージの中に腕を入れて、二つ目の藁の寝床を置いたあとで小宮さんは照れ笑いを見せた。

「さすが鳥の扱いに慣れていますね。オオタカが全然暴れなかった」

「いや、傷ついているし、まだ雛みたいなものだから……それに、どうやら、この犬がそばにいるので安心しているようだね」

　小宮さんはブル太郎を見てちょっと首を傾げた。ブル太郎は床に腹這いになり、前足に顎を乗せてガフガフとやっている。外の気温は二十六度を超している。犬にはつらい季節だ。

「これは何の種類？」

「ブルドッグです」

「あ、そうか。テレビのコマーシャルでは見ているけど、実物は初めて見た。なんとも存在感のある犬だね。何歳？」

「八ヶ月です」

「えー、これで八ヶ月？　体重はどれくらいあるの？」

「二十キロくらいです」

　実は二十二キロになっていた。来年には恐らく三十キロを超える。それはブリーダーから買ったときにいわれていて覚悟はしているが、体高が三十センチほどの犬が三十キロを超すのは健康とはいえない。ダイエットを仕込む時期にきているのかもしれない。

　小宮さんはブル太郎を覗き込んでふーんと唸った。

「するとこのオオタカとは同い歳になるのかもしれないな。鳥と犬の年齢を比較するのは妙な話だけど、あと一ヶ月くらいで巣離れするはずだったんだからね」

「巣離れする前に親鳥とはぐれてしまったんですね、山火事で」

「昨日はそう思ったんだが、そうではないかもしれない。山火事とは関係なく、密猟者にやられてここまで飛んできたのかもしれないですね」

「まだ自分で餌の小鳥を捕ることはできなかったと、昨日はおっしゃいましたね」

「多分ね。でも研究者によっては孵化して二、三週間すると小鳥くらいは捕獲するという人もいるんです。でも、詳しい生態については分かっていないんです。ただ、このオオタカはまだ全体に茶褐色だから雛だと分かるんです。成鳥になれば背は灰黒色で、胸は白っぽくなって茶の横斑が浮いてくるんです。それにしてもここの庭に降りてきたのは偶然ではないのかもしれないな」

小宮さんはケージを覗き込んで最後に呟いた。

「えっ、偶然でないって、どういうことですか」

ここらは住宅地でほぼ七十坪のロットで区画整理されて家が建っている。三丁目だけで五百軒が建っている。私の家の庭は三十坪ほどで、特別な樹木は植わっていない。そんな狭いところを狙ってオオタカが墜ちてきたとは思えない。それに近くには公園がある。

「昨日家に帰ってから考えていたんだが、こいつはおたくの犬を見つけて、それで降りてきたんじゃないのかと、そんなふうに思えて仕方なかった。勿論散弾で撃たれてもう飛べなくなっていたんだろうが、それならどこかの家の屋根でもいい。庭に降りたというのは、そこが安全と思えたか、何か救いを見つけたからじゃないかと考えたんだ」

あまりに突拍子もない話なので私は相づちを打つことも忘れて、細面で品のいい小宮さんの顔をただ見つめていた。

「だいたいオオタカに限らず、鳥はほかの動物がいたら怯えるものだが、こいつは安心した様子でいるでしょ。さっき、私が巣を入れたときも暴れなかったのは、おたくの犬がそばにいたからなんですよ」

小宮さんは生真面目な表情でそういう。

「だけど、こいつはブルドッグですよ。高い空からこいつに助けを求めて降りてくるなんて考えられないですよ」

「人間の感覚ではそうでしょう。でもね、鳥や動物は人間とは違うんです。人間には地震は予知できなくても、鳥や動物にはできるでしょ。津波の起こる数時間前に動物が騒ぎ出したり、山に逃げたりした例はいくらでもありますから」

私が唖然としているのを見て、小宮さんはコホンと咳をしてから、あのね、といって床に座った。私も同じように、玄関先の床に膝をついた。

「タカ類の視力は非常に優れていて、人間の八倍もあるといわれているんです。それに目のレンズの遠近調節の筋肉が他の動物に比べて格段に優れている。だから、高空から下の獲物がよく見えるんです」

「ではブルドッグを獲物と見たわけですか」

「そうではないんです。よく見えたということなんです。見て、そしてインスピレーションを感じたということなんです」

「インスピレーションですか？　オオタカがそれを感じてブル太郎のところに降りてきたと」

小宮さんはにやりと笑って頷いた。

「初夢で、一富士、二鷹、三なすびというでしょ。富士は清浄で気高いから一番。三のなすびは千にひとつの無駄花もない。努力すれば成功に結実するということで、なすび。なすびを食えば健康になるということではないんです」

「なるほど。それでなすびですか」

「で、鷹なんですが、これは古来から霊鳥だといわれていました。人間にはない超能力を持っていると信じられてきたんですね。その力にあやかりたいということで、鷹を初夢に見たいということでしょう。でもね、それは迷信ではなく、鷹にはほかの鳥にない霊能力があると私は思っています。だからね、傷ついて、もう飛べないと感じたこのオオタカが、上空からおたくのブルドッグを見つけて、救いを求めて降りてきたことは充分に考えられるんですよ」

ケージの中のオオタカは鶏肉を食べたあとで満足したのか、目を閉じている。聞き耳をたてれば、寝息が聞こえてきそうだった。その静謐(せいひつ)な空間をブル太郎の鼻息が乱しだした。こっちの方は、皺だらけの、まるで蟹の甲羅のような顔を幸せ色に染めて本格的に眠っている。下駄箱の上にはめてある網戸からすずしい風が入ってきている。

「この犬はオオタカにとって用心棒なんですよ」

小宮さんはそういってから、珍しく甲高い声で笑った。まるで神主を思わせるような笑い声だった。

2

オオタカの回復はめざましかった。ケージに入って三日後には、床に佇(たたず)み、ときにはコトコトと歩いた。体に巻かれた包帯が窮屈そうだったので、私は獣医に電話をかけた。包帯をとってもいいのではないかと訊くつもりだった。必要であればなんとか工夫して獣医に診せるつもりでいた。ただ、餌をやるときでさえ警戒しているオオタカを、すんなり私の手で押さえられる自信がなかった。

獣医の電話は留守番電話になっていた。どうやら休診しているらしい。それで小宮さんに電話をして状況を説明すると、それでは私がこれから伺いましょうといってくれた。すでに隠居の身だからいつでも時間は自由にとれると小宮さんはいってくれたが、私は小宮さんからどんな仕事をしていたのか聞いたことがなかった。

二階の書斎に入ってしばらくすると「ウオン」というブル太郎の吠え声が響いてきた。続いて訪問者を知らせるチャイムが鳴った。もう来たのかと思いながら、階下に降りると、ブル太郎がケージを護るように、肩を怒らせて立っていた。外から入ってくる風に、異質な臭いが混じっているのを感じたようだった。眉間が険悪になっている。

私は玄関に置いたケージの中にいるオオタカが、鋭い目で天井を見つめているのを見届けてから、ドアを開けて石段を下りた。

門柱の脇に立っていたのは小宮さんではなく、見知らぬ中年の男だった。男は被っているハンチングの鍔(つば)に軽く手を当てて、「橋本さんですね」といった。頭を低くする仕草をしたがハンチングはとらなかった。いやな印象が胸に湧き上がってきた。危険な感じもした。

こういうとき、私は自分の勘を信じることにしている。相手の気持ちを害しては申し訳ないという思いは断ち切ってしまう。妻と娘にも、そういっている。たとえばエレベーターにひとりで乗っていて、あとから男が乗り込んできたような場合、そいつにイヤな雰囲気を感じたら、すぐ降りるようにいってある。そんなことをしたら相手に失礼だという思いやりは無用だ。それが自分への傷となって跳ね返ってきたら、もう取り返しはつかないからだ。無用な思いやりより、女は臆病でいることに徹するべきなのだ。相手がどんなにいい服装を身にまとっていても、臆病でさえあれば、そいつの危険な臭いは嗅ぎ分けられる。

「おたくはオオタカを飼っていますね」

「あなたは、どなたですか」

「オオタカを飼っていますね」

男の下がった目尻に、汗に付着した泥がついていた。鼻にできた毛穴も黒ずんでいる。野ネズミのような男だった。

「飼ってはいない」

「調べてあるんですよ。飼っているでしょ、オオタカを。あれは保護鳥でしてね。飼っていると罰せられるんですよ。知っていましたか、罰せられるんですよ」

なめくじのような目がこちらを下からすくうように見つめてきた。卑しい笑みが薄い唇に浮いていた。こいつを頭ごなしに退散させるのは簡単だったが、男の背後に臭う危険の影が気になっていた。

「あなたはどなたですか」

「野生動物の保護団体の者です。オオタカはね、種の保存法によって捕獲してはいけないことになっているんですよ。絶滅の危機にあるということでね。分かっていますか」

私がオオタカを保護していることを知っているのは、家族と小宮さんだけだ。そしてもうひとりはオオタカを診せた若い獣医だ。

「それでどんなご用ですか」

「飼っているオオタカをこちらで預かります。一般の人が飼うと罰せられるんですよ。だからうちで預かります」

これで分かった、こいつは密猟グループの一員なのだ。

「野生動物の保護団体というのなら名刺を持っているでしょう。いきなり預かるといわれても困りますね」

男はズボンの尻ポケットから財布を出して、皺の寄った名刺を突き出した。環境省自然保護局認可野生動物保護の会、林一男と書かれていた。

「だれから聞いてきたんですか」

「こういうことはすぐに分かるものなんです。種の保存法では違反した者は一年以下の懲役または百万円以下の罰金に処するとあるんですよ」

「それは大変だな。では逮捕される前に警察に知らせた方がいいですな。自分で知らせれば一年以下の懲役も勘弁してもらえるでしょう。これはもらっておきます」

私は名刺を持って石段を上がった。口を半開きにした男が、その後どういう行動をとるのか分からなかったが、弱気な態度をとってはいけないことは理解していた。

悪のネットワークが、素早く自分たちの撃ったオオタカの居所をつきとめたのは驚くべきことではない。オオタカを診せに行った動物病院では、私の住所を書いている。それを手に入れるのは闇に棲息する連中にとってはむつかしいことではないだろう。だが、防衛する手段を持たない一般市民にとっては、それからが大変なのだ。警察の名を出したのはささやかな防衛だが、警察が事件を未然に防ぐ意味で、庶民の味方をすることは絶対にありえないことも分かっていた。

傷ついたオオタカをブル太郎が護ろうとしている。その思いに応えて、オオタカが山に帰れるようになるまで、良からぬ人間の手が及ばないようにしてやるのが、私の役目なのだ。

ドアを開けると、眉間に皺を寄せているブル太郎と目が合った。心配気なその顔が青ざめているように見えた。大丈夫だ、そう私は胸の内で呟いた。絶対、大丈夫だ、と。

相棒

1

革の手袋を両手にはめた小宮さんは、慎重にケージの中に手を入れた。下の巣にいるオオタカは丸い目を向けて頸（くび）を傾げている。小宮さんの指先には鶏肉が挟まれている。

母、妻、それに中学校から帰ってきたばかりの娘がそれぞれ思い思いの表情で、オオタカを見つめている。床に腹這いになったブル太郎は、前足に顎を乗せて、どこか恨めしげな目つきでいる。そう見えるのは黒眼の周囲が充血しているせいだろう。

「さあ、いいよ、おいで」

鶏肉をオオタカがついばむと、小宮さんはそういって右の掌（てのひら）を返した。オオタカは頸を反対側に傾げて、今度は床に寝そべっているブル太郎に、金色の縁を持った黒眼を向けた。ブル太

郎は動かない。暑さにへばった様子で、分厚い唇の脇から涎(よだれ)を垂らしている。

「ようし、いいよ、いい子だ」

オオタカが小宮さんの掌に乗った。野生のオオタカが人になつく瞬間を見られることはめったにないだろう。子供の頃から小鳥が好きで、これまでに何十羽と飼っていた小宮さんでなければできない芸当だ。

オオタカがケージの外に現れると、「おやまあ」「あら、かわいいわね」「出てきた」と三者三様の感想が女たちの間から漏れた。胸を包帯でくるまれたオオタカは鶉(うずら)のようにまるまるとしている。

「鳥を包帯で巻いてしまうなんて、ちょっと考えられないですね。傷口から細菌が入らないように処置すればそれでいいはずなんです。包帯をいやがって、自分の体を嘴(くちばし)で傷つけてしまう恐れがありますからね」

そういいながら、小宮さんはオオタカの体に巻き付けられていた包帯を取り外した。傷口は胸毛に隠れていたが、小宮さんはそっと胸毛に手をあてて、持参した塗り薬を探り当てた散弾の跡に塗り込んでいた。その間、オオタカはずっと天井を向いていた。その悠然とした姿勢は、オオタカが生まれつき持っている気高さを象徴しているように思えた。

「いいですねえ、これはいいオオタカだ。持って帰りたいくらいだ」

ほれぼれした表情で小宮さんは自分の掌に佇(たたず)んでいるオオタカに見入った。

「うちより、小宮さんのところで飼っていただいた方がいいんじゃないんですか」

妻が嬉しそうにいう。なぜそんな表情になるのか想像できたが、それ以上の詮索はしなかった。

「そうしたいのですが、そうもできないんです。種の保存法云々(うんぬん)より、このオオタカが恐れずにこうしているのも、人間に慣れているというより、ブル太郎君がいるからなんです」

「ブル太郎はいつも寝ているだけですけど」

自分の名前が出たので、ブル太郎は目玉をギロリと反転させて人間どもの様子を窺(うかが)うようにした。オオタカは、小宮さんから薬を塗ってもらいながら、翼を細かく動かし始めた。

「いや、私なんかには分からない意志の疎通があるんです。鷹匠のいう人鷹一体(じんよういったい)とも違うものですね」

「小宮さんは鷹を飼ったことがあるんですか」

私がそう訊いたのは、鷹の扱いがとても慣れているように見て取れたからだ。野生動植物の国際取引に関するワシントン条約に対応するために、日本でも、絶滅のおそれのある野生動植物の種の保存に関する法律、いわゆる「種の保存法」が平成四年に制定され、それがようやく施行されたのは翌年のことで、それ以前の鳥獣保護法は狩猟に関して規制していたものの、野生の鳥を飼うことは野放しに近いものだったのではないか。密猟者が捕まるのも偶然のことが多かったはずだ。

小宮さんは私の質問を受けると一瞬たじろいたようになった。細い頬に縦皺が走り、少し照れたように笑った。

「実は子供のころから強い鷹に憧れていましてね、成人してからは一度でいいから鷹を使った猟をしたいと考えていたんです。その頃は東京都の鴨場(かもば)が村山貯水池にありましてね、そこには鷹匠さんが都から配置されていたんです。それで弟子入りすれば、鷹を使った猟ができると考えて随分通ったものなんです」

「へえー、そんな時代があったんですか」

「鴨場ってなあに」

娘が訊いた。私も聞き過ごしていたので、小宮さんの答えに耳を傾けた。

「昔、宮内省といっていた頃は毎年秋から翌年の春にかけて、鴨狩りをしていたんですね。外国からの要人や軍人の接待のためです。それで鴨場が必要だったんです。ただ、鴨狩りを誤解している人が多くて、これは実は鴨場の引堀(ひきぼり)という水路に追い込んだ鴨を、お客が叉手網(さであみ)で取るゲームなんですね。その網をかいくぐって逃げた鴨をとらえるのが、鷹匠と鷹の役目だったそうです」

「そういうことだったんですか。今はもうやっていないんですか」

「宮内庁の鴨場は今も行徳と越谷にあるんですが、鷹を使った猟での接待はもうやっていないですね。でも八王子の方で花見薫という天皇の鷹匠だった人から、諏訪流鷹師の允許状を与えられた人がいます」

「小宮さんも本気でやってみたかったんでしょうね」

「しかし、鷹に万全の力をつけてしまうと、その鷹は野生に帰ってしまう。そうなると人間のいうことをきかなくなってしまうのです。つまり百パーセントの生命力を与えずに、少しさじ加減をする必要があるということなんです。そんな飼育法はちょっと学んだだけでは会得できない。第一鷹が可哀相で、そんなやり方は私にはできないと諦めた次第なんです」

「そうか、いつも少し弱らせている状態を作り上げるわけですね。たしかに残酷かもしれない。小宮さんはやさしいですね」

「いやあ、若かっただけですよ。今思い出せば、鴨場の上空には鴨を狙って、オオタカが悠然と舞っていましたね」

小宮さんは目の前のオオタカを眺めながら、懐かしそうにしていた。その甘美なひとときを破ったのは妻だった。

「玄関に鳥のケージを置いておくと臭いが凄いんです。庭に出すわけにはいきませんか」

「翼が動かせるようになれば大丈夫です」

「しかし、猫が狙ってくる」

「そうか、それも考えなくてはね」

「ブル太郎がいれば大丈夫よ。犬小屋の隣に置けばいいんだし。もうあの野良猫もいなくなったんでしょ」

「あ、飛んだ」

オオタカが小宮さんの掌から飛び立って、ケージの上に立った。羽音を耳にしたブル太郎が、むっくりと起きあがって上を向いた。

「連絡をもらえればいつでも参ります。うちにはこれより一回り大きいケージがまだありますから、それを外に置いたらいいでしょう。私がやってあげますよ」

私にはケージを組み立てることができないことを小宮さんは分かっているのである。

「やっぱり、このふたりには人間にははかりしれない意志の疎通があるんですね」

一匹と一羽をふたりと表現した小宮さんの目の前で、ケージの上にいたオオタカは、ふわりと床に舞い降りてブル太郎の横に佇んだ。すると鈍い動きで、のそのそとオオタカの胸元に鼻を寄せたブル太郎が、長い舌を出して傷口あたりを舐めだした。オオタカは毅然と風の流れ込む下駄箱上の網戸にその鋭い顔を向けている。

「いやあ、私の薬はかえって余分なことになってしまったな」

小宮さんは頭をかいて苦笑した。娘はわあーと歓声をあげていたが、母と妻は茫然とその不思議な光景を眺めていた。

2

ケージの中でオオタカは翼を広げて伸びをする。二十センチほどの体高の鳥が、幅六十センチのケージいっぱいにふくれあがる。家に保護して一週間、そろそろ新しいケージを組み立てて庭に出す時期がきたようだ。あとは自分で野生に帰る時期を知ったオオタカが空に飛び立っていくだけだ。

ブル太郎はケージの隣で大抵寝そべっている。夕方、散歩から帰ってくると、床には上がらず、そのまま、玄関のタイルにべったりと腹這いになってゼーゼーといっている。それで冷たいタオルで体を拭いてやると、そのたびに「んーんー」と切ない声を出している。その困惑した表情から、冷たいタオルで拭かれることを歓迎している様子はない。人に触られるのが苦手らしいとようやくこの頃気づいてきた。つくづく、不思議な犬だと思う。

「やあ、大分元気になりましたね。胸にも大分白い毛が混ざってきましたから、もう二週間もすれば、山まで帰れるようになるでしょう」

ブル太郎を散歩に連れていったあと、小宮さんに連絡をすると、すぐにやってきてくれて、さっそく新しいケージを庭で手際よく組み立てだした。玄関にいるオオタカは古いケージの上に止まって鋭い目を庭に向けている。

一時間もすると犬小屋の横に、幅一メートル、奥行き八十センチ、高さが一メートル二十の立派なケージが建てられた。

「さて、あそこにいるオオタカをどうやってこのケージに入れますかね」

汗びっしょりになっている小宮さんに私はそう訊いた。

「そうですね。私の腕に止まることはないでしょうしね。どうするかな」

もし家の中を飛び回るようなことになったら、母が混乱する。

「ブル太郎が庭に出ればついていくよ」

私たちの話を耳に入れたらしく、ちょうど冷たいタオルと麦茶を運んできた娘がそういった。

「ついていくって、オオタカがブル太郎についてくるのか」

「うん。いつもついていくよ。庭にもよく出ているよ」

赤坂の仕事場で徹夜することもあるので、私は四六時中犬と鳥の様子を観察しているわけではない。しかし、そんな光景は見たことがなかったし、初耳だった。

「それじゃ、いつもケージは開いたままにしていたのか」

「いつもじゃないけど、餌を入れたあと、そのまま開けといたら、ブル太郎のあとについてオタカが外に出ていった」

中学三年にもなって舌足らずないい方だと情けなく思ったが、意見をしているときではなかった。小宮さんは娘に礼をいって冷たいタオルで顔を拭いてから麦茶をおいしそうに飲んだ。

私は家に入り居間を通って、玄関のタイルに、まるで平泳ぎをする蛙のように、うつ伏せに寝ているブル太郎をつついた。

「おい、起きろ、外に出ろ」

ブル太郎は赤い目をギロリと剝いたが動こうとはしなかった。三十度近い外から帰ってきてすっかりばててしまっている。

「ダメだよ。無理に動かしちゃ。口から泡吹いているじゃないの」

後ろに立った母がいった。輸入雑貨店をやっている妻は、今日は仕入れに行って留守にしていた。それで私が代わりにブル太郎を散歩に連れていったのだが、無理に歩かせたために、普段と勝手が違って疲れが倍増したらしい。

「こいつ、ゼンゼン歩かないんだよな。道端で立ち止まって考え込んじゃうんだよ」

それで尻を蹴飛ばして歩かせた、とは母にはいえなかった。

「仕方ないじゃないか、ブルドッグなんだから。歩くのが下手なんだよ」

そういう言い方もあるのかと思いながら、私はブル太郎とオオタカを置いて、もう一度玄関から居間を抜けて庭に出た。

「ケージの入り口を開けておけば中に入りますかね」

「餌を入れておけば入るでしょう。まだまだひとりでは狩りはできないでしょうから」

「あとは猫が心配だな。ブル太郎が散歩しているときは、ケージの中に入れておかなくてはやられるかもしれない」

「じゃあ、オオタカが自由に出入りできるよう扉に細工をしておきましょう。猫返しもつけてみましょうか」

「そんなことできるんですか」

「猫が侵入できないよう高床式にするんです。ま、やってみましょう」

小宮さんはそういってまずケージの扉を手にしたペンチでひねり出した。

そのとき網戸を開けて庭に降りようとした娘が、わっとわめいた。

「パパ、見て見て」

何事かと後ろを振り返ると、ブル太郎がこっちによたよたとやってくるところだった。そして、その背中には、オオタカがちょこんと乗っていた。

「うわっー、なんだあれは！　あんなことがあるのか」

小宮さんまで上ずった声を出した。私はたぶん口をあんぐりと開けていただけだろう。なんだか、サーカス小屋の裏庭に突き落とされたような驚きを受けていた。

「むふむふ」

ブル太郎は鼻息を強く吹きだすと、居間から四十センチほど低くなっている、煉瓦を敷き詰めたベランダに向かって腰を落とした。それから思い切ったように飛び降りた。その瞬間、オオタカは翼を広げた。だが、犬の背中から飛び立とうとはせず、その様子はさながらウオータ―シュートに乗った添乗員が、急滑降して池に突進する間際に、膝と足首を使って、さり気なくショックをやわらげる仕草を思わせた。

「ぐふっ」

ブル太郎はすぐに腹這いになった。オオタカは私たちがすぐ横に立っているのを恐れる様子もなく、ブル太郎の背中に乗っている。周囲を警戒するように頸を回しているが、その視線は私たちを素通りして、庭木や隣家の庭や屋根に向けられている。

「驚いたな。こんなことが実際に起きるなんて、やはり、この犬は特別ですよ。このオオタカも相当変わってはいますがね」

小宮さんが目を丸くしていると、オオタカはブル太郎の耳の後ろに嘴(くちばし)をたてて、ちょんちょんとつつきだした。すると、ブル太郎は気持ちよさそうに目を閉じ、快感を得ているときのみに出す「ぐふぐふ、ふっふん」という鼻息を吹きだした。

「こんなことしているの、前にも見たことがあるか」

「ある」

娘は素っ気なくそう答えた。

「でも、歩いているブル太郎の背中に乗っているのは初めて見たよ。昨日はついていったもの」

「ついていくというのは、オオタカが歩いてついていったのか」

「うん、歩いていた」

私と小宮さんはいったん目を合わせて、お互いびっくりしていることを確認して、また視線を一羽と一匹に戻した。

「ここは日射しが強すぎますね、ケージには覆いをするか、それとも木の下に移動してやった方がいいですね」

「そうします。あとは密猟者に盗まれないよう用心して、このオオタカが森に帰れる日まで保護してやりますよ」

私がそういうと小宮さんは慈愛に溢れた目で犬とオオタカを見下ろし、そっと呟いた。

「それにしても、神様が引き合わせたふたりですね。いい相棒だ」

オオタカのいる里山

1

奇妙な声で目が覚めた。厚い布を一気に切り裂くような、鋭い声だった。音ではなかった。それが三度続いて目を開いた。鳥の鳴き声だった。梅雨が終わりかけているこの時期に、相方を求める鳥はいないはずだと、寝室のカーテンの隙間から洩れる淡い明かりに目を向けながらぼんやり思っていた。

オオタカの求愛期は一、二月だと聞いていた。つがいになったオオタカが巣を造るのが三、四月。産卵してから雛を育てるのに二ヶ月要し、さらに一人立ちするまで、そばについて一ヶ月半ほどかけて育てるというのが定説になっている。あのオオタカを餌付けしてしまっては、野生に戻れなくなってしまうのではないか。

羽音が窓を打つように響いてきた。何か胸騒ぎめいたものを感じて私はベッドから起きた。野良猫がオオタカを襲う映像が胸をよぎった。二階の寝室の窓を開けると広い葉を茂らせたこぶしの枝が、一メートルほどのところで揺れている。夜はまだ完全には明けきっていないが、星を消した空から眠気を誘う光が、緩み始めた空気に溶け込んで舞い降りてくる。

五分ほど空を見ていた。あたりが白み始めた。すると葉がさらに揺らいだ。その葉の間から鳥の顔が覗(のぞ)いた。尖った嘴(くちばし)と金色の目が庭の下方に向けられている。オオタカだった。この頃では自らケージを開けて近くを飛べるほどに回復しているのは知っていた。それに樹木の中にいるオオタカは、いつも見ている表情とは違って、雄々しく気高さに溢れている。だが、すぐそばにいる私には気付かないのか、その研ぎ澄まされた視線は庭の一点に張り付いたままだ。

声をかけてみるかと思ったとき、階下でブル太郎の吠え声がした。それが、数回続いた。廊下で寝ていたはずのブル太郎が、リビングルームの硝子戸(ガラスど)に鼻を接して、外に向かって吠えているのだ。しかも陽が昇る前だ。そんなことはかつてなかった。

猫か、と思った私は寝室の窓から身を乗り出して、オオタカが視線を向けている方を見た。なにもいなかった。さらに身を乗り出そうとしたとき、金属質の音が響いてきた。車庫から庭に出る間に木戸がある。木戸にかんぬきはされているが、母でも開けられるように簡便にとりつけられている。

私は急いで階下に降りた。リビングの窓にかかっているレースのカーテンを通して、人影が見えた。それもふたつある。そこは隣家との境に沿う細い小路だった。ふたりが庭に入ろうとしているのか、それとも犬の吠え声を聞いて逃げようとしているのか、にわかに判断がつかなかった。だが、私がすることはひとつだった。高尾警察署に電話することだった。「庭にふたり組の泥棒が侵入しています。パトカーのサイレンを消して、至急逮捕に来てください」

私は住所と名前を警察に伝えて立ち上がった。

多分、二人の男はまだ、どうするか決めかねていたのだろう。私がリビングルームから庭に出ると、虫取り網を持った男が腰を屈めて庭にあるケージを凝視している姿に出会った。私がその前に立つと、男は目玉をでんぐり返した。一瞬だが、男の身体が跳び上がったように見えた。

「泥棒！」

私は叫びざま、男の腕を取ろうとした。その私の腕をかいくぐって、男は頭を低くして突進してきた。油断は少しもしていなかった。だが、逃げ出すとばかり予想していた男が、捨て身の反撃に出てきたので、体勢が崩れた。男は両腕で私の胸を突きざま、頭を顎に打ちつけてきた。私は無様なほどたわいなく、尻餅をついた。

その私の傍らを獣が跳躍した。それはまさに獣だった。私が知っているブル太郎ではなかった。

重い筋肉がしなり、男の股ぐらにブルドッグが突進した。太い前足で男の両足を挟み、さらに前にがぶり寄った。そこに犬に変身した相撲取りがいるような錯覚に陥った。

男は野太い悲鳴を上げて倒れた。その拍子に後頭部を隣家との境にあるブロック塀にぶつけた。ゴツンと大きな音がした。ブル太郎は唸り声を上げて、倒れた男の股ぐらに容赦なく噛みついた。それは春に、ミニチュア・ダックスフンドをいじめた黒い犬に立ち向かったときの幼い犬ではもうなかった。宅急便の若者を困らせていた、無邪気な犬ではなかった。私が瞬時に感じた、獣そのものだった。

「このやろう」

横から出てきた相棒の男が、手にした警棒のようなものを振り上げて、ブル太郎に打ちかかった。ようやく起き上がった私は男の腰にとびついたが、男の動きを止めることはできなかった。短いが太い革製の警棒が、ブル太郎の背中を打った。ぐえっ、とブル太郎が呻いた。すぐに反転して、すさまじい唸り声と共に男の手に噛みついた。男は、このやろう、とわめいた。私が男の手をねじり上げると、ブル太郎は再び虫取り網を持っている男に組み付いていった。

「泥棒だ」

明るくなってきた空に向かって私は叫んだ。どこかで犬の吠える声がした。雨戸を開ける音も響いてきた。

「こいつをどけてくれ」

ブル太郎に股ぐらを押さえられている男が、頭をブロック塀に自ら打ち据えながら怒鳴った。私は警棒を持った男の手をさらにねじり上げて、泥棒、といった。なにもしていないのに息がきれていた。

「おまえこそ、泥棒だ。オオタカは保護鳥だ。そいつを飼っているのは違反だ」

「それで泥棒に入ったのか、林一男さんよ」

三週間前に野生動物保護の会の名刺を持ってやってきたのが、この男だった。環境省に問い合わせたが、そんな団体を認可したことはないと返答を得ていた。こいつらは密猟のグループなのだ。

「うるさい！　殺すぞ」

そう怒鳴り、林は腕を振りほどきざま、私の横腹に膝蹴りを入れてきた。強い一撃だった。私は不覚にも再び倒れた。林は警棒を振り上げ、相棒を組み敷いているブルドッグに狙いを定めた。

羽音が頭上で唸った。次の瞬間、林の頭を鋭い鳥の爪が摑んだ。さらに嘴（くちばし）が鼻を突いた。ぎゃっ、と叫んで林は、顔を押さえて蹲った。サイレンを消したパトカーが家の前に到着したのはその直後だった。

「泥棒」

そう大声を放って、私は林を今度こそ押さえつけた。二人の警官が車庫を抜けて庭先に入ってきた。先に立った警官は、男を押さえているブルドッグを見て、啞然として棒立ちになった。助けて下さい、キンタマが食いちぎられるよ、と男は嘆願したが、若い警官は動かなかった。

後ろから来たもう少し年かさの警官が、林を見下ろし、ドスのきいた声で、おまえら何してる、といった。林は私の下で息も絶え絶えという様子で、こう答えた。

「怪しい者ではありません。道に迷っただけなんです」

2

「そのあとどうなりました？」

小宮さんは、眼鏡の奥の目をなごませて訊いてきた。妻は聞き飽きたというように、席を立った。娘は口を手で押さえてクスクスと笑っている。

「ばかやろうと警官は怒鳴って手錠をかけましたよ。午前四時に警棒を持って他人の家に侵入して、道に迷ったというやつがあるかってね」

「とんだ密猟者だな。それにしてもよく事前に警察に連絡しておいたものですね」

「色々調べていたら、先日茨城でオオタカを始め、野鳥を何十羽と飼っていた男が告発を受けたという記事を見つけたもので、いちおう、私は捕獲したのではなく、傷ついたオオタカをいま保護していると事前にいっておいたんです。密猟の連中がやけになって告発するかもしれないですからね」

茨城で告発を受けた男は、種の保存法違反と鳥獣保護法違反の疑いがかかっているが、実際に検挙されたかどうか、まだ分からない。私は高尾警察署に説明に行くと同時に環境省にオオタカを保護しているのを許可してほしいと申請に出向いたのだが、こっちのほうはまるで進んでいない。向こうにやる気がないのは明白だった。

それを説明すると、小宮さんの目が曇った。

「オオタカにとっては、生き延びる上でふたつの大きな難問があるんです。ひとつは乱開発で生きる場所がどんどんなくなっていること、もうひとつは密猟なんです。昔から希少動物の絶滅は気候の変化より密猟によるものの方が多いといわれているくらいなんです。日本では軽く考えられているけど、実際、鳥や動物にとっては深刻な問題なんです」

それから小宮さんは、和弓の矢も元々はイヌワシやオオタカの羽根を使っていて、今は七面鳥などを代わりにしているが、やはり、本格派にとってはオオタカの羽根は垂涎（すいぜん）の的なのだといった。

「それにましてオオタカが自然保護のシンボルと騒がれることで、余計闇の取引価格が上がるんです。だから、密猟者が跡を絶たない。取り締まる法律があっても実効力がないんだから、ないと同じなんです。現行犯でないと取り締まれないのでは、ないと同じでしょ。山に張り込む刑事はいませんからね」

するとと娘が声をたてて笑った。私は娘を睨(にら)み付けたが、小宮さんは娘の方に笑顔を向けた。

「タチが悪いのは、密猟者の方が情報をもっているということです。どこにオオタカが営巣しているか、よく知っている。工事現場などでそういう情報が出て、建設側が地元に配慮して、工事を一時中断したりすると、その隙に密猟してしまうんです」

百二十万円どころか、二百万円出すという者もいると小宮さんは聞いているという。

「それと私が危惧しているのは、開発業者や、地域の開発を願っている人たちからオオタカが仇(かたき)のように思われやしないかということなんです。自然保護は大事だが、それを論じる人たちが、オオタカを錦の御旗にして、開発反対を叫ぶと、なんであんな鳥のために自分達の生活がおびやかされなくてはならないんだといわれるわけです。うまく共存できるはずだと私は思うんですけど。たとえば、里山ですね。昔は炭にする薪をとるために人が入った雑木林が、小鳥や動物にとってはかけがえのない場所で、そういうところを残しておけば、大丈夫、ちゃんと共存できるんです。杉の山は家屋建築には必要でも、昆虫や小動物、鳥などは住めないでしょ。ところが、役人を始め、山を持っている連中は建築ブームを当て込んで雑木林をみんな杉山に変えてしまった」

小宮さんは眉間に皺を寄せて、腕を組んだ。麦茶を運んできた妻は庭に目を向けてから、あれ、ブル太郎がいないわ、といった。さっきまで、今朝の奮闘に疲れて、木陰でぐったりとしていたのだ。

「玄関にいるよ」

娘がいった。

「あれ、いつ通ったんだろう」

「おばあちゃんの部屋から行ったよ」

「おかしいな、オオタカと一緒にいたはずなんだがな」

「オオタカが飛んでいくと、いつも玄関に来て寝てるよ」

娘の思いがけない言葉に私はハッとする思いだった。娘は大事なことを知っているのに、それを何でもないことだと思っているのだ。だから、いちいち問い返さなくては様子が分からない。

「オオタカはどこに飛んでいくんだ」

「わかんない。山の方だと思う。家の上をしばらく舞っていて、そのあと高尾山の方に飛んだの見たことあるから」

「いつのことだ?」

「うーん、おとといくらい」

娘の二階の部屋は庭に面している。顔を上げれば、オオタカが飛び立つのが見えるはずだ。観察力の弱い娘だと思いこんでいたのが、うかつだった。

「もしかしたら、もう、自力で餌をとるようになったのかもしれないな」

「橋本さんが今朝聞いた鳥の声というのは、オオタカの声ではなくて、襲われた鳥の声だったんじゃないんですかね。オオタカが警戒するときは、けっ、けっ、と鳴くといわれているんですよ」

「そんな声じゃなかったですね。もっと切羽詰まった声でした」

「あっ、あたし、オオタカが雀を追いかけるの見たことがあるよ」

「それで、どうなった?」

「逃げられた」

なんだか、ぐったりした気分になった。救われたのが小宮さんの一言だった。

「どうです、これから八王子に残る里山を見に行ってみませんか。いずれ、その里山の下を圏央道が走るといわれているんです。そこではオオタカの生息が確認されているんです。おたくのオオタカがそこで孵化した可能性もあるんです」

行きましょう、ブル太郎も連れて、と一番始めに反応したのは、今朝の騒ぎにも気づかずに、すやすや眠っていた妻だった。あたしも行くといって娘もソファから立ち上がった。

玄関に私たちが行くと、腹這いになってゼーゼーとやっていたブル太郎が、のっそりと立ち上がって、玄関のドアの前に佇(たたず)んだ。

妻が車庫から車を出している間、私は道路に佇んでいた。すると、娘が頓狂な声をあげて空を指さした。

「ああっ、オオタカだ」

見ると、遙か高いところに、翼を広げたオオタカが悠然と漂っている。その周囲を二羽のカラスが飛んでいて、ときどきオオタカにちょっかいを出すが、まるで意に介せずに堂々と空を占有して舞っている。その内、カラスは逃げていった。

「もう傷は治ったようですね」

「じゃあ、山に帰るときがきたんですね」

「どうですかねえ。まだ、子供のはずなんですがね。でも、ああやって飛んでいる姿は空の王者にふさわしい貫禄ですね」

車が脇に止まった。空を見上げている三人を見て、どうしたの、と運転席から呟いた妻は、不意に、ブルちゃんといって笑い出した。みると、眩しげに空を見上げているブル太郎が、しきりに体を左右に震わせていた。その皺だらけの顔には哀切感が漂っている。女二人は笑っていたが、そのけなげな姿に私は思わず胸が熱くなった。翼をほしがるブル太郎の真情が、私の胸を直撃した。

オオタカが運んできたお礼の品

1

妻の運転する車は、小宮さんの指示で甲州街道の高尾駅前を右折した。するとすぐに緑の丘に挟まれた高尾街道に入った。右手のこんもりと茂った緑地は武蔵陵墓地で、大正天皇と昭和天皇の眠る御陵になっている。左手は農林水産省が管轄する実験林になっている。気持ちよく整備された道だった。

二股を左にとり、中央自動車道をくぐるとすぐに八王子城跡入口の標識が出てきた。助手席にいる小宮さんが、この城跡の奥の深山にもオオタカを始め、イヌワシも営巣しているはずですといった。そういわれてみると、山は幾重にも重なっていて、濃い緑がうねりながら、遙か彼方まで連なっている。この深い山に北条家の山城があったというのは驚きだった。家からわずか十分ほど走るだけで、景色がまったく変わることにも感嘆していた。

「あたし、おじいちゃんとお城に行ったことがあるよ」

隣の席でブル太郎に太腿(ふともも)を踏みつけられて、先ほどから悲鳴をあげていた娘が思いついたようにいった。いつのことだ、と私は訊いた。

「あたしがまだちいさいとき。ブル田が生きていたころ」

「そうか。おまえはおじいちゃんの行くところは、どこへでもついていっていたものな」

「おじいちゃん、地図を広げていたよ。でも頂上の神社までは行けなかった。疲れて歩けなかった」

それを聞いて、父が北条氏照と八王子城を調べていたことを思い出した。武蔵国といわれていた時代には神奈川、東京、埼玉にかけておよそ百七十の城や館があったという。ここらは争乱の舞台だった。父の残した資料が父の書斎にまだそのまま残っているはずだ。それを調べ直すのは自分の役目であるように思えてきた。

「オオタカはあんな山奥から飛んでくるんですか」

妻は左手に続く山並みに目を向けて小宮さんに聞いている。

「山奥にいるオオタカは人の住む里には出てこないんです。オオタカには『深山派』と『里山派』それに『都市部派』の三種類がいるんです。『都市部派』というのは公園などにも営巣するんです。餌の野ネズミや蛇が少なくなって、ドバトを主食にするようになったからなんです。でも、あんがい、この『都市部派』のオオタカが一番安全かもしれない。町中を猟銃を担いで歩くやつなんかいませんからね」

「鳩を食べるんですか」

「はい。ドバト。これは簡単に増えてしまってどこの町でも困っているはずです。そうそう皇居の森にもオオタカはいるんですよ。そのせいか鴨などが姿を消したと聞いていますよ」

二人が前の席で話をしている間、ブル太郎は落ちつかない様子で窓に顔を寄せたり、娘と私の間を歩いたりしている。そのたびにブル太郎の足の爪が素足に当たるので娘は悲鳴をあげている。

「ママ、ブル太郎が口から泡を吹いているよ。苦しいみたいだよ」

「これだけ人が乗っているとクーラーが利かないんだ。ちょっと止まるか」

「でも外は暑いわよ」

「奈美、窓を開けてやれ」

寒さに強い犬はいくらでもいるが、暑さに平気な犬はいない。なんといっても毛皮を着ているのだ。毛の長い大型犬にとって高温多湿の日本の気候は敵といってもいい。ブルドッグの毛は短いが、暑さにはことに弱い。夏はこの犬にとっては危険な季節だ。

娘の太腿に後ろ足を立てて、ブル太郎は窓から頭を出して、はあはあとやっている。痛い、と叫んで娘がブル太郎の足を払った。するとズッコケた感じで顎を打ったブル太郎の口から、涎が尾を引いて伸びてきた。それが娘の頬に被さった。きたなーい、と娘はわめいている。妻は運転席から静かにしなさい、と注意をしている。ブル太郎は前足をドアの取っ手に置いて外の空気を吸っている。その視線が空に向けられた。するとワンという澄んだ吠え声が出た。

私は窓を開けて首をそらせた。雲ひとつない空が広がっていて、眩い光を一面に張り巡らせている。首が痛くなって頭を引っ込めた。

霊園を抜け、陣馬街道に入ってから北浅川を渡ると夕焼け台という名の公園が出てきた。車は住宅団地に入っていく。その途中にゴルフ練習場があった。そこの駐車場に車を止めて外に出た。

夕方の暑い空気が覆い被さってきた。数秒で汗が吹きだした。暑い、と娘は不平をいった。のそのそと出てきたブル太郎は、まず、その辺で小用をすませると、茂みの下の土の上に腹這いになってはあはあといっている。

「あれが天合峰と呼ばれる里山ですよ」

小宮さんはそういって柔和な顔を前方に向けた。正面に丸みを帯びた小山が見える。それがふたつみっつと続いている。日射しに打たれた山並みは、葉が細かく震えるのか、妙に白っぽい。しかし、そこから新鮮な空気が漂っているように感じられる。その神妙なたたずまいに思わず厳粛な気持ちにさせられた。

「もっとも天合峰といっても、ここいらに住んでいる人でも知らないでしょうね」

住宅団地の背後に控える山並み。ここは典型的な里山だ。

「かつてここには炭にする薪を取るために人が入ったはずです。それがプロパンガスに始まり、電気、石油、ガスの燃料に代わって、人が里山に立ち入らなくなり、森は深くなりました。だが、それは同時に、小動物たちにとっては住みにくいところになったんです」

小宮さんの話に私は聞き入った。

森が深くなるほど、野生動物や植物にとっては生きにくくなる。里山では十五年から二十五年の周期で伐採を行い、年に一度は下刈りもする。それ故、光が射し込み、色々な草木が茂って実をつけるから、小動物にとってもいい住処(すみか)になっていた。これまであまり目をとめる人のいなかった雑木林が、じつは自然の宝庫であった。

「開発か自然保護かという対立の前に、人が山に手を入れてやらないと、豊かな自然は保てないという事実をみなが知ることが大切なんです。国がやらなくてはいけないのは、道路や箱ものばかり造るのではなく、そういう仕事に従事している人に、山に入っていく仕事が得られる機会を与えることなんです。彼らだってそういう仕事がしたいんです」

私は汗を拭うことも忘れて小宮さんの話を聞いていた。妻と娘は茹だった顔でボーッと佇んでいる。ふたりが小宮さんの話に興味を持っていないのは明らかだった。私がふたりにゴルフ練習場の喫茶室で休むようにというと、ふたりは赤い顔の幽霊みたいな様子で歩きだした。私はしきりに喘ぎ声をたてているブル太郎を連れていくようにいった。妻は力無く頷いてブル太郎のリードを引いた。ブル太郎はだるそうに立ち上がった。

「この天合峰でもオオタカが生息しているんです。ひとつがいではないという話です」

そう話している小宮さんの後ろから声をかけてきた人がいた。六十年輩の男の人で山歩きをしてきたような様子だった。私のその勘は当たっていた。小宮さんから紹介を受けた谷川という人は、野鳥調査のグループの方だった。いま、里山を散策して戻ってきたばかりだという。

私たちも練習場の喫茶室に入って飲み物を頼んだ。日に焼けた谷川さんは元気そのもので、私は薄い胸をした自分の身体を恥じる思いで座っていた。

2

「じつはもう七年も前からこの天合峰の下を圏央道のトンネルが通る計画ができあがっていて、この里山にはハイテク産業の研究施設と住宅団地ができることになっているんですよ。七百億円かけて、都市基盤整備公団がやるんです。ほれ以前の住宅・都市整備公団が名前を変えてやっているんですよ。あの世界一の大家さんといわれた整備公団ですよ。賃貸や分譲事業では大赤字をくらいましたからね、今じゃ再開発事業に乗り出しているんです。今度のプロジェクトは十年計画で完成する予定だったんですが、計画は宙に浮いています。発端はオオタカの営巣地が見つかったことです」

公団はオオタカ生態調査検討会を発足させ、七人の委員を任命した。地元からも三人参加した。それは異例のことで、多分に地元に配慮したものだったろう。なんといっても財政投融資から数千億円という多額の補助金が出ているのだから、ごり押しして悪いイメージをこれ以上一般に植え付けるわけにはいかなかったのだろう。検討会では一年後に調査結果を公団に提出した。オオタカの営巣環境の確保と餌になるドバト、キジバトの保全を申し立てた。どうするか、結論はまだ出ていない。

谷川さんはいう。

「私たちは公団とは別に調査しているんです。ここにはヒヨドリ、キジバト、カケス、メジロなど二十種類近い鳥が生きています。オオタカは毎年三羽が孵化しているんです。これは里山の自然状況が大変いいことを示しているんです」

「では、オオタカがいるから計画を中止すべきだという意見ですか」

と私は訊いた。オオタカを神様にして、開発反対を訴えるのは、いいやり方ではない。自然保護団体を敵視する人も多く出てくるだろうし、オオタカの密猟者に味方する人が増えてくるとも限らない。谷川さんはいやいやといって顔の前で手を振った。

「私たちは調査したことを発表しているだけです。結論を下すのは地元の人です。でもね、公団は最初からオオタカを追い出すことしか考えていないんですよ。ここに生きている小動物なんかどうでもいいと思っている。それって人間の傲慢さじゃないですか。私たちはできれば、オオタカを含めた小動物や植物が生きられる保存林を残すことを、開発プロジェクトの中に織り込んでもらえたらと思っているんですよ」

「里山の大切さは、実感した人でないと分からないのかもしれないね」

小宮さんが傍らで嘆息した。ふんふん、と谷川さんは頷いていった。

「私は高尾に住んでいますが、月に二度はこの天合峰に来ています。野鳥の調査が主なんですが、ただ歩いているだけで、実に気持ちがいいんです」

谷川さんは振り返って窓の外に広がる低い山並みを目を細めて見つめた。

「この暑い日射しの中でも、里山に入るとホッとします。意外なほどすずしいんですよ。どこからか微風が吹いてきましてね。水辺にはリスが上品な様子で水を飲んでいたりしますし、ウサギが葉に隠れてこちらを窺(うかが)っていたりする。空気は湿っているけど、おいしいんですね。秋になるともっとおいしい。空気が生きているんですね。落ち葉の上を歩いていくとさわさわと音がする。それが心地いいんですね。それに冬の雪景色は絶品です。私などは歩くたびに心が洗われる思いがします。橋本さんも是非一度歩いてみてください」

そういわれて、私は四季ごとに違った素顔を見せるという里山の風景を頭のなかで想像していた。すると陶然とした気分に浸されてきた。

「谷川さん、じつは橋本さんの家の庭にオオタカが落ちてきましてね。密猟者にやられたんです」

「えっ？　落ちてきた？　それでどうなりました？」

谷川さんは素っ頓狂な声を発して、私と小宮さんを交互に見比べた。

「一ヶ月ほど前のことなんですが、もう自由に空を飛び回れるほどに回復しましてね。先日密猟者が橋本さんの家の庭に侵入してオオタカを盗もうとしたらしいんですが、反対にオオタカにやられてしまったんです。今は二人とも留置されていますよ」

ははは、と小宮さんは眼鏡の奥の目を細めて笑ったが、谷川さんのほうでは目を白黒させている。すぐには声が出ないようだった。

「で、では、一ヶ月の間、オオタカは逃げもせずに橋本さんの家に飼われていたというのですか」

「そうです。それというのもブル太郎君とオオタカとの間に心の親交があったからなんです。

にわかには信じられない話でしょうが、私は確信しているんです」

「ブ、ブル太郎君って、誰ですか？」

谷川さんは急に雄弁になった小宮さんを頰肉を震わせて見つめ直した。ほれ、あそこにいる、といって小宮さんが入り口を入ったところに寝そべっているブル太郎を指さしたとき、ふいにブル太郎が起きあがって「ワン」と吠えた。

「ブル太郎が吠えてる」

娘が間延びした声でいって入り口を振り返った。ブル太郎は自動ドアの前に立つと、それが開かれるのを待って外に飛び出していった。あわてて私もあとを追った。

「おい、ブル太郎、どうした？」

西日が熱火のように顔を正面から射してきた。ブル太郎の走っていく後ろ姿が黒ずんだ点のようになっている。私のあとから娘が駆けてきているようだった。

「危ない！」

一台の車が駐車場に入ってきた。ブル太郎は車を見ると突進していく性癖がある。思わず叫んだが、ブル太郎は車の脇を素早く走って角を曲がっていく。そんなに速く走るブル太郎を見たのは初めてだった。ブル太郎は公園に駆け込むと、舌を長く垂らしながら上空を見上げた。

「あ、オオタカだ」

追いついてきた娘が声をあげた。空の眩(まばゆ)い光の中に翼を広げたオオタカが悠然と舞っている。それがゆるく輪を描きながらゆっくりと降りてくる。

「あ、あのオオタカだ。あれですよ」

背後で小宮さんのうわずった声がした。おお、と谷川さんも声を上げた。

「小鳥をくわえている」

そう誰かがいった。

「ワン」

ブル太郎がまた吠えた。その吠え声に反応したかのようにオオタカは一直線に急降下してきた。「あっ!」と娘が叫んだ。ブル太郎に襲いかかるように見えたのだ。

だが、翼を広げたオオタカは不意に空中に止まり、あたりの様子を窺(うかが)うように頸(くび)を動かした。金色の目が光った。それからブル太郎の頭と接するところまで降りてきて、嘴(くちばし)を開いた。小鳥がブル太郎の前に落ちた。小鳥はすでに絶命していた。小鳥に目を落としたブル太郎は、悲しげな目で宙に浮いているオオタカを見つめた。

オオタカが小さく鳴き声を発した。ふたつの生き物は数十センチのところで互いの目の奥を探り合っていた。それは数秒間ほどだった。オオタカは翼を翻すと、ようやく沈み始めた太陽を受け、黒ずんだ姿を現した里山の方に向けて飛び立った。

「オーン」

ブル太郎の吠え声が、山火事のように壮絶に赤く染まった空に響いた。オオタカが姿を消したあとも動こうとはしなかった。オオタカは別れをいいにきたのだ。それをブル太郎が知ったのだと私は思っていた。

「こ、こんなことが……」

両腕を上げた谷川さんは、そう呟（つぶや）いたまま塑像のように立ち尽くした。

「この鳥はなに？　オオタカがブル太郎にあげたの？」

娘がそういって小鳥に目を落とした。

「そうだ。オオタカがお礼に持ってきたんだ。自分で初めて狩りをした鳥をブル太郎にあげたんだ」

私は熱くこみ上げてくるものを必死で堪（こら）えながら、そう答えた。

CM撮影

1

オオタカが庭から消えると、ブル太郎はすっかり元気をなくして、一日中廊下の暗いところに寝そべって過ごすようになった。すずしい風が吹く夕方になると庭に出て、庭木に顔を向けて風の中にオオタカの匂いを嗅ぎ取るような仕草をすることもあるが、それもすぐにあきらめたようにやめてしまって、ぐったりとした様子で部屋に戻ってくる。

夜、散歩に出ると陸橋の袂(たもと)に佇んで、月明かりの下に悠然と浮かびあがる高尾の山並みに目を向けてじっとしている。だが熱気の残る夜気の中にいるのはブルドッグには苦痛らしく、そこからまっすぐに家に戻ってしまう。他の犬に出会ってもまったく関心を示さず、どんなに吠え声をたてられても顔を向けることはない。そして水を飲むと、玄関のたたきに腹這いになっ

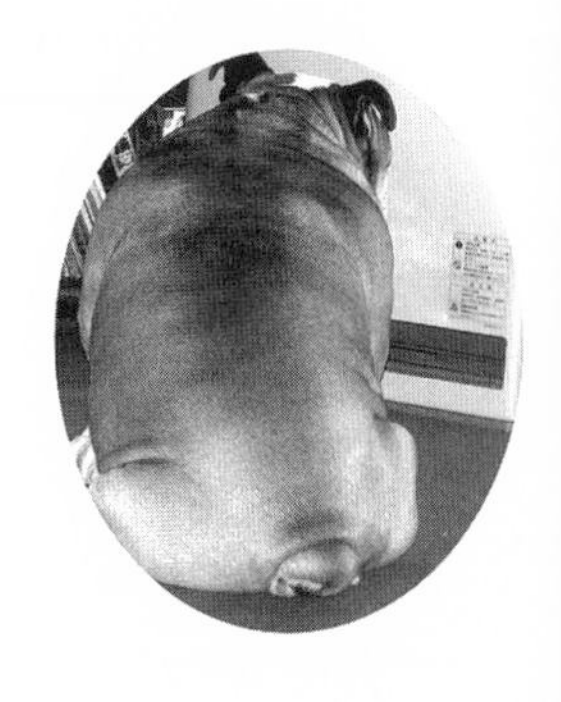

て荒い息を吐いている。呼吸が整うと、のっそりと起きあがって、廊下に上がり、母の部屋の敷居に顎を乗せ、四肢を前後に伸ばして眠り込む。

それも暑い夏が行き、九月も半ばを過ぎるようになると、だんだんに気力が回復してきて、私が投げるゴムボールを追いかけはじめた。試しに、ある深夜帰宅したとき、足音を消して石段を登り、玄関のドアをそっと開けると、ブル太郎が一段高い敷居に仁王立ちになり、獅子舞のような顔を向けて睨(にら)み付けてきた。

おい、といったが動かない。暗いところから、目を爛々と輝かせているだけだった。ドアを閉め、荷物を置くと、それを待っていたかのように無言で飛びついてきた。その前足の押しの強さに、覚えずよろめいたものだった。これが泥棒だったら腰を抜かすだろうと思いながら、もう大丈夫だと安心した。夏の間のブル太郎は、私がいつ帰っても、床に溶け込んでいく寒天のように緩みきっていた。

十月の第一週の水曜日に、事務所から入った連絡は、私とブル太郎をさらに元気づけた。

「プロデューサーの久保さんから電話がありまして、今日にでもお会いできないかということです。ブル太郎君と奈美ちゃんに、コマーシャル出演をお願いしたいということです」

久保謹二がかつて大手の制作会社に勤めていた頃、単発のテレビドラマの脚本を二度依頼されたことがあった。その後、制作会社をやめて事務所を開き、フリーのプロデューサーとして動いている彼から、何度か企画を持ち込まれて相談に乗ったことがあったが、仕事として成立したものはなかった。大手の制作会社の看板で仕事はできても、個人のプロデューサーとしての手腕にはみるべきものがなく、企画も中途半端で、スポンサーも途中で手を引いてしまうのが現実だった。

今度の話も眉唾(まゆつば)だな、と半信半疑になりながら、私はこの話が実現すればブル太郎も一躍日本中の人気者になれるかもしれない、と左団扇(ひだりうちわ)で暮らす自分の姿を思い描きながら、車を赤坂の事務所まで飛ばした。

久保は私が事務所に着いて間もなく、太った身体を転がすようにしてやってきた。

「橋本センセがいま『ハローニッポン』で書かれている『ブル田さん』をイメージしてやりたいんです」

『ブル田さん』はすでに単行本も二冊発刊されていて、どちらも版を重ねていた。物語はある日、空から降ってきたパグ犬が四歳の女の子のボディガードになるというファンタジィ物だった。女の子には不思議な能力が備わっていて、それは人間の世に混じって生きている魔物たちの正体を見抜いてしまうというものだった。ブル田さんは次から次へと女の子に襲いかかってくる魔物を退治する。魔物にも改心するものがいて、それらはやがて女の子の味方になる。女の子の父はプロ野球の選手という設定だった。

「センセのとこのブルドッグが、お嬢さんに襲いかかってくる怪獣たちをやっつけるという話にしたいんです。深い森の中で撮りたいですね。怪獣はこういうものをイメージしています」

久保はそういって『ブル田さん』に描かれている魔物の絵を見せた。

「イメージというか、それじゃあ『ブル田さん』のまんまじゃないですか」

「へっへ、しかし原作者がCMのコンテをつくるということで許してもらえるでしょう」

「いや、そう簡単じゃないですよ。それに漫画家さんの了解も得ないといけないなあ」

「それじゃあ、センセから了解を取り付けてもらえますか。私もコマーシャルをプロデュースするのは初めてなもんで、勝手が分からないんです」

「了解はいいですが、確実に撮影をやるんですか。そもそもスポンサーとの契約は済ませているんですか」

「それはもう、バッチリです。名古屋の証券会社のCMなんですが、社長さんがすべて私に任せるとおっしゃってくださって、コピーも橋本センセが書いてくださるといったら大喜びでして」

「えー、ぼくがコピーを書くんですか。やったことないですよ」

「お願いしますよ。十五秒のCMの最後にちょこっと入れてもらえればいいんです」

久保は茹で蛸のように脹らんだ顔に吹き出した汗をしきりに拭った。こういういい加減さがプロデューサーとしての久保が信頼されない理由なのだなと思いながら、この仕事がもし流れるようなことがあれば、久保の事務所は財政的にも窮地にたたされるのだろうと想像していた。フリーになって二年以上になるが、彼が企画した仕事がまとまったという話を聞いたことがなかった。事実、脚本家の間では久保は信用を失いかけている。プロットだけ書かされて、それきりギャラも払われず、なしのつぶてだったという話は私のところにも聞こえてきている。

しかし、私はそれほど優秀だと思えない久保がなんとなく憎めなかった。新シリーズのテレビドラマで大赤字を出したために、制作会社を首になったという話を何度も聞かされていたからだ。自分の無能力をさらけだす人間を、なぐさめることはできないが、協力することはできる。

「お嬢さんはブルドッグの後ろに立ってくれているだけでいいんです。演技の必要はありません。魔物役の連中が周囲を飛び回ってわいわいやるから大丈夫です」

撮影は二週間後くらいを予定しています、と性急なことをいって久保は帰っていった。彼の話の中に広告代理店の名前が出なかったことや、ギャラの提示もなかったことに一抹の不安を感じながら、ブル太郎と娘がコマーシャルフィルムに映し出される日のことを想像して、しばらくの間、楽しいひとときを過ごしていた。

果たして久保は娘に会ったことがあるのか、ブル太郎を見たことがあるのかと疑問に思ったのは、夜、デスクに向かっているときのことだった。私の自宅に来たことのない久保が、実物のブル太郎を見たことがないのは明らかだった。それに娘の写真すらスポンサーに見せずに、コマーシャル契約ができるというのも不可解なことだった。

大丈夫かな。額から流れる汗を拭い続けていた久保の顔を思い出して、頬杖をついていた。

2

「わあー、これがブル田さんですか！」

ガフガフと荒い息を吐いて居間に入ってきたブル太郎を見て、久保は目を丸くした。最終の打ち合わせのときは自宅に来てほしい、と私がいったのは、事前にブル太郎をしっかりと見て欲しかったからだ。

「ブル田ではないですよ。ブル太郎です」

「しかし、漫画に出てくるブルドッグはもっと小振りで、なんというか可愛らしい感じですが、これはなんというか」

「ブル田はパグ犬です。ブルドッグじゃないんです」

「す、すごい迫力ですね。か、嚙みつきませんか」

ブル太郎は座っている久保の足に鼻を擦り寄せてから、前足をソファに置いて股間に鼻を埋めた。これで大抵の男は痺れてしまう。

「嚙みつくこともあるかもしれないですね」

「じょ、冗談はやめてください」

久保はソファに両足を上げて、ブル太郎の侵入を避けようとしていた。しかし、ブル太郎はやめようとしない。しつこいのがこの犬の身上なのだ。しかし、そのままにしていては打ち合わせができないので、私はブル太郎をいったん私の足下に押し込んだ。

「いやあ、すごい迫力ですね。これがブルドッグですか。初めて見ました」

久保は汗の吹きだした首をハンケチで拭いながら、恐れ入った様子でブル太郎を見つめている。ブル太郎は口を開いて舌を見せている。ブルドッグをコマーシャルに使おうというプロデューサーが、撮影の数日前になって初めて現物と対面するのも困った話だったが、それには触れないことにした。

「こんなふうな絵を撮ることにしました」

久保は絵コンテを広げて私の前に置いた。森の中にさまよい込んだ女の子とブルドッグの周囲を、魔物たちが飛び回っている。女の子が逃げだすと、魔物たちが追いかける。それをブルドッグがスーパーマンのようになって守りきるという内容だった。

「こんなふうに都合よくこの犬は動きませんよ。訓練をしていないし、そもそもブルドッグは人間のいうことをきく種族ではないんです。頑固だし、なにより、マイペースなんです」

「そのヘンはうまくやります。編集でいかようにも作れますから」

中学校から帰ってきた娘が久保に挨拶をした。久保は上機嫌で撮影の段取りを娘に説明している。

「衣装合わせはしなくていいんですか」

「今日私がサイズを伺って、当日スタイリストが用意してきますから大丈夫です」

どうもいい加減すぎるな、と思っていると、いつのまにか私の足下から抜け出たブル太郎が、ソファの背に回っている。まずい、と胸の内で叫んだときは遅かった。取り澄ました様子でソファの背によじ登ったブル太郎が、勢いよく久保の背後から跳びついた。

「わあー!」

久保の目玉がでんぐり返った。無理もない。ブル太郎の前肢が久保の首を抱え込み、頭の中に鼻を突っ込んでいるのだ。

「ブル太郎、だめよ」

娘はそういってブル太郎の頭を叩いたが、口元はいまにも吹き出しそうになっている。久保は茹で蛸そのものになってソファの上で踊り狂っているのだ。

「これがこの犬の挨拶なんですよ」

私はそうなだめたが、仰天した久保は、驚きの表情を顔に張り付けたまま帰っていった。これではとてもコマーシャルの撮影はできないな、と私は思った。久保を存分にオモチャ扱いしたブル太郎は、いつもの調子で、ガフガフとやっている。

撮影は神奈川県の秦野中井インターから三十分ほど行った山の中で行われた。長時間車に揺られたブル太郎は、明らかに車酔いをしていて、車から降りたあとは腹這いになったまま、全く動こうとしなかった。水を飲ませようとしても口を向けずに、ぐったりしている。

「まだ休んでいてください。先にあっちを撮っていますから」

演出助手が来てそういう。あっちというのは円谷プロから借りてきたという縫いぐるみのことだった。ウルトラマンシリーズで使われたというそれらは、最初に予定していた魔女や魔人のイメージとはかけはなれていて、怪獣そのものだった。

森の中で怪獣が雄叫びをあげるのを、ブル太郎は眠そうな目をしてときおり眺めている。

「どうです。元気になりましたか」

久保がそばに来て心配そうに覗き込んだ。その久保にもブル太郎は無反応だった。

「どうも車酔いがひどいみたいですね。起きようとしないんです」

妻がにこにこしていう。娘はブル太郎の頭を撫で続けながら、ブルちゃん、ブルちゃんと呼んでいる。

「とにかく、あそこまで連れてきてくれませんか。時間もあまりなくなってきましたんで」

演出部の若者が来てそういった。私はリードを引いて、ブル太郎の名を呼んだ。ブル太郎は片目を開いただけだった。

「これは駄目だ。全然動かない」

久保には申し訳なかったが、こうなってはあきらめるほかなかった。自分が動く気にならなければ、絶対に動かない犬なのだ。

「おーい、カメ、頭を持ってこっちに来てくれ」

久保が縫いぐるみから顔を出している若者を呼んだ。若者はグロテスクな亀の頭を横に抱いてやってきた。

「頭をつけて、この犬の前に立ってみてくれ」

久保がそういうと若者はおとなしく怪獣の頭をつけた。動けといわれて、怪獣は跳びはねた。しかし、ブル太郎はちょっと目を上げただけで起きあがる気配を見せなかった。

「そろそろやらないと、光がなくなりますよ」

撮影部の者がそういってきた。そのうちスタッフの多くがブル太郎の回りに集まってきた。

「どうしたんですか」

「動かないんだ」

「困りましたね。どうしてもダメですか」

「ブルドッグがいなけりゃ撮影にならないじゃないか」

困惑顔でスタッフが呟いている中で、ブル太郎は素知らぬ顔で腹這いになっている。前肢を前に伸ばし、短い後ろ足を投げ出した姿はユーモラスで、なぜか巨大なもぐらを連想させた。私は思わず笑いだしてしまった。すると娘もクスクスと笑いだした。その内スタッフの一人も笑いだし、やがて久保を除いたすべてのスタッフの笑い声が森に響き渡った。

手術

1

CMのスターにはなりそこなったが、撮影隊から解き放たれたブル太郎は、家に戻るといつもののっそりとした生活に浸りこんで、のどかに暮らしだした。秋の空気はブル太郎には最適で、庭のベランダに敷かれた段ボールに寝そべり、腹を出して気持ちよさそうにイビキをかいている。

夕方のすずしい風が吹きだすと、のっそりと起きあがって網戸の破れ目から居間に入ってくる。網戸が破れてしまったのは、ブル太郎の頭突きにやられてしまったからだ。それから廊下に出て、突き当たりにある和室の茶の間のドアの前に行って「ワン」と犬らしい声で吠える。しばらくすると、妻が眠そうな顔で現れる。妻にとって午後のその時間は、経営している輸入雑貨店の休憩時間にあてているのだが、それは決まってブル太郎の散歩によって破られる。
それから首輪をかけるのだが、それがまたひと騒動で、その時間をブル太郎はじゃれあいタイムだと思いこんでいて、首輪を噛んだり、リードをくわえて母の部屋にもっていったりと、色々わるさをする。散歩には行きたいくせに、素直に首輪をかけさせないのである。それで妻はロールパンをひときれ与えて、首輪と交換する。そうすることがいつのまにか、儀式のようになっていた。夕方の散歩は妻の担当だった。

散歩は大抵ブロックを一周する程度で、ときには二周することもある。それは飼い主が決めるのではなく、ブル太郎の気分次第なのである。二階のベランダから見ていると、角に佇んだまま空に顔を向けて動こうとしないブル太郎の傍らで、リードを持った妻が、所在なげに立っている姿をよく目にとめる。大変だなと思っていると、妻が人目もはばからず、大口を開けて欠伸(あくび)をすることもある。

ブル太郎が散歩に出たあと、たまに気が向いて私も外に出ることがある。角まで行ってゴルフクラブを振っていると、がふがふという声が反対側の角から聞こえてきて、やがてブル太郎が現れる。胸が白いのでふくろうのように見える。立花はF1カーみたいだというが、私にはブル太郎の歩く姿はどこかバランスが悪くて、大型の鳥のように見える。それが妙にユーモラスだ。

妻を従えて角を曲がってきたブル太郎は、三十メートルほど先で立ち止まる。向こうに立っている人間は誰だというように顔を上げて毅然としている。数秒後に歩きだす。飼い主を認めたのだな、と思って私はゴルフクラブを手に立っている。喜色満面で飛びついてくるだろうと私は待ちかまえている。ところが、ブル太郎は私のすぐそばを通りはするが、顔を上げることも、立ち止まることもせずに、そのまま歩き過ぎてしまうのである。それを見て、妻はくすくすと笑う。ときには、ほらパパよ、と注意を促すこともあるが、犬の方ではまったく無視して行ってしまう。コケにされた飼い主は憮然としてぶっ立っている。そういう光景がずっと続いている。幼犬のときには、飼い主を見つけて走ってきたこともあるが、それはもういつのことだったか忘れてしまったほどである。

成犬になってからは、もともとあった頑固さに加わって、気難しさが増してきた。居間のドアを閉めて私がくつろいでいると、廊下をちゃかちゃか爪の音をたててやってきたブル太郎が、ドアに頭をぶつけて開けようとする。ドアと柱の間に隙間のあるときは、ボカーンと大きな音がたってドアが直角に開かれ、ブル太郎の登場となるのだが、閉まっていてはさすがのブル太郎の頭突きでも開けられない。

二度、三度とぼかぼかとドアに頭をぶつけてくると、私は仕方なくソファから立ち上がってドアを開けることにしている。閉めたままにしておくと、ふてくされたブル太郎がドアの前に小便をして立ち去ってしまうことがあるからだ。

ドアを開けると、そこにはブル太郎の顔がないことがままある。そういうときのブル太郎はきまってドアに尻を向けて、玄関にある小窓に目を向けている。外を見ているわけではない。自分の勝手気儘が通用しないことを知って腹を立てているのである。

おい、どうした、と尻に向かっていうと、ブル太郎はギロリと目を剝いてUターンすると、フンと鼻を鳴らして居間のドアの前を通り過ぎ、母の部屋に入ってしまう。母の部屋は和室になっているが、ベッドが置かれていて、そこに飛び乗ってこわい顔をして飼い主を睨んでいるのである。私はこれまで四十年以上あらゆる種類の犬を飼っていたが、飼い主の顔色を窺う犬は知っていても、飼い主に対して不機嫌な顔を向ける犬と暮らすのは初めてのことだった。

2

紅葉が高尾山から消えると、秋が静かに去っていった。冬になると、ブル太郎は昼間は母のベッドの上で寝て過ごし、夜になるとガスストーブの暖を求めて、居間に入ってくる。ガスストーブの前で神妙に座っている後ろ姿は見方によっては、ミロのビーナスの背中のように扇情的だが、ガスの排出口に鼻面をくっつけて寝そべり出すと、アライグマに変身したようにだらしない姿になってしまう。かつてミニチュア・ダックスフンドの親子を、巨大な黒犬から守った勇猛さは微塵も感じられない。ただ丸まっているだけの犬になっているのである。

そして夜の散歩が終わると、居間の肘掛けソファにのそのそと這い上がってくる。そこがいつの間にかブル太郎の寝床になってしまったのである。冬の初めに私が数週間の旅に出て、家に戻ってくると、そういうことになっていたのである。鼻の短いブルドッグにとっては、肘掛けの部分に顎を乗せて寝ると、スムーズに呼吸ができて安眠できると家人がいうので私は納得して黙った。玄関に置いてあった犬小屋は、私の姉の家にもらわれていったという。旅から帰ると家の中はいつもささやかながら異変が起きている。


最初にブル太郎の健康状態がおかしいと、口に出していったのは母だった。

「この犬、変な咳をするようになったよ。私の喘息がうつったんじゃないかね」

「喘息は感染するものじゃないよ。ブルドッグはこういう咳をよくするんだ」

「そうかね。でも変だよ。キーンキーンと咳を出したり、咳のあとに白い泡を吐くこともあるんだよ」

そう話しているとき、母のベッドで寝ていたブル太郎が咳をしだした。苦しげな咳で、背中を震わせて三、四度咳き込んだ。明らかに気管がやられている兆候だった。

「ブルドッグは……」

といいかけて、母には理解しにくいことだろうと思って口をつぐんだ。私にしても専門家でないから詳しいことは分からない。ただ、ブルドッグのように鼻の短い犬は、軟口蓋過長症という特有な病気になりやすいという。どの犬にも口腔の奥の上側には、軟口蓋があって、鼻の短い犬はとくにこれが伸びすぎて、息をするとき振動するような音が出る。ブル太郎のキーンという金属質の咳はそのせいだろう。水を飲んだあとでも、ブル太郎は咳き込んで、飲んだ水を吐き出すことがある。重症になれば手術が必要だと本に書いてあった。しかし、手術をするほどのことはないだろうと私と妻は時折話すことがあった。

それから二週間ほどすると、師走になっていた。ブル太郎の咳は少し治まったようだったが、今度も母が少し青ざめた顔で私を呼んだ。

「やっぱりおかしいよ。ベッドにちょっとおしっこを洩らしたんだよ。この間は畳にしたんだけど、いわなかったのよ。前にはこんなことはなかったよ」

「おかしいな。散歩にはちゃんと連れていってるし、それ以外の時におしっこをしたくなったら、台所のドアを叩いて合図をするんだがな。あのさ、お菓子がもらえなくてふてくされているんじゃないのか。ふてくされるとおしっこをする癖があるんだ、こいつには」

「お菓子なんかあげてないよ、犬には悪いっていわれたからさ。どうしたのかねえ、病気なんじゃないかね。この頃元気ないようだし」

「オオタカがいなくなってしまったからなあ。退屈しているんじゃないかな」

私はあたりさわりのないことをいって母の部屋を出た。ブル太郎はその間ぐったりして母のベッドで目を閉じていた。胸騒ぎめいたものが私の中で起きかけていた。

「ブル太郎がおばあちゃんの部屋でおしっこを洩らしたらしいんだ。散歩ではちゃんとおしっこが出ているか」

店から戻ってきた妻に訊いてみた。妻は、出ているわよといって部屋に入っていった。

平日の夜は私がブル太郎を散歩に連れていくことが多かった。その夜、娘に懐中電灯を持たせて散歩に出た。ブル太郎が片足を上げて小用をする様子を見せると、娘が懐中電灯の明かりをあてた。

「どうだ、出ているか」

「出てる」

相変わらず娘の言葉遣いは素っ気なかった。

「どうも少ないようだな」

「少ない」

数ヶ所で小用をするのはいつものことだが、どうも出が少ない。ブロックを半周もしないうちに、小用をするそぶりは見せるのだが、オシッコが出ていないようなのだ。

「どうだ」

「出てない」

ブル太郎はなんとなく居心地が悪い様子でいる。家の門柱にも片足を上げたが、オシッコは一滴も出なかった。あきらめた感じでブル太郎は玄関に続く石段を駆け上がった。上がりきったとき、咳き込んだ。それから少し喘（あえ）ぐようにした。寒い夜で、私はセーターの上に厚手のブルゾンを着て、娘は防寒具姿だった。犬が喘ぐような気温ではなかった。

「どうもおかしいな。動物病院に診せたほうがいいんじゃないか」

散歩から戻って妻にいった。

「今、クリスマスが終わって、お店は大変なの。お正月用の品物を出さなくてはならないから」

私は唸ったまま黙り込むしかなかった。これまでずっと犬の世話をしてきたのは妻で、私は傍観者みたいなものだったからだ。

翌日、ブル太郎の小便の量はこれまでになく少なかった。そして散歩から帰って一時間もしないうちに、前触れなく廊下に少量のオシッコを出した。なにしているのよ、と妻が怒ると、病気なんだから仕方ないよ、と母が呟くのが聞こえた。

その翌日は大晦日（おおみそか）だった。ブル太郎は散歩の途中で血尿を出した。明らかに血の混じった小便を見て、私と妻は顔を見合わせた。母のいう通り、ブル太郎は病気だった。

「オシッコが少ししか出ずに血が混じるというのは尿道に石が詰まっているからだろう。膀胱から小便が排泄されるとき傷がついてしまうんだ」

「するとどうなるの」

「どうもこうもない。痛みがすごくなるし、少しずつでも出さなくては死んでしまうだろう。動物病院で開いているところはないか」

「捜してみる」

家の近くにも動物病院はあったが、そこではブル田もリリィも死んでいた。休診日でもたたき起こせば診察をしてくれるかもしれなかったが、以前の不審な診察態度を見ている私には、どうしても信用することができなかった。ブル田はそこの獣医に殺されたと私は信じていた。

「一軒やっていたわ。四時までに連れてきてくださいって」

あちこちに電話をかけていた妻は、友人の知り合いという人から情報を得て飛んできた。

「よし、すぐ行こう」

私たちはブル太郎を車に乗せて、紹介された動物病院に急いだ。思いがけないことにそこは同じ町内だった。高台にある公園の下に、ひっそりと身を潜めるようにしてK動物病院はあった。何度かその前を通ったが、そこが動物病院だとは妻も私も気付かなかった。

出てきたのは白髪混じりの顎の張った六十がらみの獣医だった。症状を説明すると不機嫌そうに頷き、そこへ乗せて、とステンレス製の診察台に向けて顎を上げた。私は妻と一緒に二十五キロになったブル太郎を持ち上げた。

「石が尿道に詰まっているんだ。こういう病気になるのは飼い主が悪いんだ。いい加減なものを食わせるからこうなるんだ」

「指定されたドッグフードしか食べさせていませんが」

「そんなはずはない。肉を食わせているんだろう。まったく甘やかすからこんなことになるんだ」

獣医は角張った顔の中に埋まっていた目をギロリと剝き出して私と妻を睨んだ。それから一本の針を取り出して、診察台で俯(うつむ)いているブル太郎の陰茎に突き入れた。ブル太郎は驚いて後ずさった。

「押さえて」

命じられて私と妻はブル太郎を押さえた。ブル太郎の体が震えていた。

「麻酔をかけなくて大丈夫ですか」

「手術するわけじゃない。尿道口にある石を膀胱に押し戻すだけだから、これでいい」

獣医はそういってもう一度ブル太郎の陰茎に針を差し込んだ。ブル太郎はのけぞるように後退した。ブルちゃん頑張って、と妻が祈るように呟いた。

数秒後、診察台から降ろされたブル太郎は、診察室のドアをしきりに叩いた。ドアを開けると喘ぎながら私を引っ張って外に出た。獣医が出てきて、小用をする犬を見ていた。出たか、と訊くので、ブル太郎を覗き込んでいた妻が、ええ少し、と答えた。血は混じっていないようだった。だが、元気なときの小便の量と較べると明らかに少なかった。

私たちは車にブル太郎を乗せて帰った。そうするしかなかった。

「正月が明けたら、もう一度別の獣医に診せた方がいいな」

「そうね」

「だいたい、レントゲンも撮らずに、いきなり針を尿道に突っ込むなんて乱暴すぎる」

「それで石が押し戻されたのならいいんだけど」

ブル太郎のはあはあという喘ぎ声が車内に響いていた。もう少し早く獣医に診せるべきだったと私は後悔していた。しかし、その後悔はブル太郎にとっては何の救いにもならないことを、翌日思い知ることになった。

3

元旦の夜から、ブル太郎は苦しがった。小便がまったく出なくなったのだ。深夜になると廊下を歩くブル太郎の足音が響いた。私たち家族の誰も眠らなかった。どうすることもできず、ただおろおろした。ブル太郎は泣きはらした目で私たちを見上げ、妻は俯き、娘はかわいそうと呟き、母は涙ぐんだ。私は酒を呑んでみたものの、少しも酔うことはできなかった。

一月二日に開業している動物病院は、八王子の地区では一軒だけだった。仕方なく、晦日に診察をしてもらったK動物病院にブル太郎を連れていった。出てきた獣医は前よりも不機嫌になっており、再び飼い主の不注意を咎(とが)め、今度も麻酔なしでブル太郎の陰茎に針を入れた。痛がったブル太郎は診察台から転げ落ちた。

その日、少量だけ小便を出したブル太郎は、夜になると血尿を出し、眠ることなく廊下を歩き続けた。目が血の海のようになっていた。私が時折服用している睡眠導入剤を飲ませると、やっとブル太郎は眠った。

翌朝、S動物病院が開くのを待って、ブル太郎を診せに行った。痩せて眼のくぼんだS獣医は診察のあとで、麻酔をかけて尿道に詰まっている石を膀胱に戻すので、ご家族はいったん家に戻ってくださいといった。私たちは悲しげな目で見上げるブル太郎を置いて家に帰った。そして夕方までぼんやりしていた。電話があり、私たちはブル太郎を迎えに行った。

麻酔をかけられたブル太郎は、私を見てもぼんやりしていた。歩行も困難で、家に連れ帰るとそのまま眠った。翌朝になると、少し元気を取り戻し、小便も出るようになった。

だが、それで終わりにはならなかった。

三ヶ月すると、また小便の出が悪くなった。膀胱にある石を取り除いたわけではなく、尿道を塞いでいた石を膀胱に押し戻しただけなのだから、いつまた石が詰まるか分からなかった。その不安がいつも私たちの胸の内にあった。さらに数週間後には血尿が出た。

今度こそ慎重に動物病院を選んだ私たちは、甲州街道沿いにあるZ動物病院にブル太郎を連れていった。そこには常に五、六名の獣医が働いていて、ことに院長は大学で講義を受け持ち、アメリカの学会にも出かけていく著名な人だった。

幸い院長みずからがブル太郎を診てくれた。これまでどこの動物病院でもレントゲンを撮ってくれたことはないというと、そんな、といったまま院長は絶句した。

ブル太郎の膀胱には数個の石があることが分かった。取り除くには手術が必要だった。その手術のための麻酔がブル太郎の命を奪うかもしれなかった。しかし、私たちは決断した。

「お願いします」

「はい。麻酔はぎりぎりの量でやります。手術に要する時間は一時間ほどでしょう。心配しないで下さい」

院長は浅黒い顔に穏やかな笑みを浮かべていった。

電話があったのは四時間ほどしてからだった。

「成功しました。ブル太郎君ももう目を覚ましています。このまま四、五日入院してもらいますが、今からでも面会に来られますか」

行きますといって私と妻はＺ動物病院に急いだ。ブル太郎はとろんとした目で私たちを酸素吸入室の中から見ていた。下腹は包帯で覆われ、腕には点滴針が刺されていた。

「これだけ膀胱に入っていました」

ステンレスの皿には九つの石が置かれていた。一センチくらいの石もあった。

「これが尿道に詰まっていたものです」

院長が示したピンセットの先に、硝子(ガラス)の破片のような小さな石があった。

「ずっと痛かったのね、ブルちゃん」

「でも、よかったな、これで元気になる。ヘンな咳も出なくなるかもしれない」

私たちは院長に礼をいって動物病院を出てきた。それから毎日面会に行った。私たちが行くとブル太郎は酸素吸入室の透明な壁を前肢で叩いた。退院できたのは五日後だった。

母と娘が迎えに出てきた。母の笑顔が私たちを救った。ブル太郎はそれまでと変わりなく、廊下に寝そべり、はあはあと荒い息を吐いた。

だが、ブル太郎がいつものブル太郎に戻ったとはっきり分かったのは、散歩のときだった。

妻を従えて角を曲がってきたブル太郎は、そこでいったん立ち止まって家の前に立っている私を見た。それからガフガフと口から音をたてて戻ってくると、私の前を素通りして門扉の中に入っていった。それを見て、妻はそれまでと同じようにアハハと笑った。

瞳に映る明日

1

ブル太郎が我が家に来てから五度目の春を迎えた。ブル太郎は四歳半になった。一歳の頃の、まだあどけなさを残した面影はすっかり消えて、どこから見てもブルドッグという風格のある顔付きになった。それは大人にとっては愛嬌のある顔ともとれるのだが、幼児にとってはそうではないようだ。

姪(めい)が幼い二人の娘を連れて家に来たとき、玄関に迎えに出たブル太郎を一目見て、そろって泣き出したことがあった。ブル太郎は困った目をして二人を見ていた。顔はごつくてもブル太郎は瞳で心情を表すので、飼い主にはその気持ちが手にとるように分かる。

十分後、さっきまで泣いていた幼児たちは、ブル太郎の顔の皺(しわ)に触り、背中を叩いた。ブル

太郎は憮然としてされるがままになっていた。その不細工な面構えを改めて見直して、ふたりは口を手で押さえて忍び笑いを洩らし続けた。おだやかな初春の午後が、ゆっくりと流れていった。二人の女の子にとっても思い出深い一日になったに違いない。

顔の中で一番変わったのは額が広くなり、しかも固くなったことだろう。眉間の上に向こう傷こそないが、皺が深くなり、目から上部に気迫が出てきた。縦皺を立てたブル太郎から睨まれると、飼い主でさえ、覚えず居住まいをただしてしまいそうになる。なんだか叱られている気になってしまうのだ。

頭の固さは生まれつきで、そのためブルドッグは帝王切開で子供を産む。その時点ですでに親子とも人間の世話になるように出来ている。実際、成犬になってもブルドッグはひとりではなにもしない。やろうとはしない。

大便のあと肛門を拭くのも飼い主の役目である。そうしてくれと尻の穴を突き出してくるのである。耳の垢を取るのも、鼻を覆う分厚い皺の下の溝を清潔にするのも飼い主の仕事である。

ブル太郎は母の和室の、四十センチほど開けられた襖の間に体を納めて腹這いになり、廊下に置かれた母のスリッパに顎を乗せて、いかにもボディガード然としていることが多いが、私が思わずちょっかいを出して鼻面を撫でたりすると、やおら起きあがって、のっそりとこちらに尻を向ける。

「しっぽを揉みほぐせ」

というのである。

面など撫でなくていいからしっぽを揉めと態度で示しているのだ。そんなことを飼い主に命じる犬など通常では存在しない。しかしブル太郎は横柄ともいえる態度でそう要求してくるのである。

仕方なく、私はちょっかいを出してしまったことを後悔しながら、根っこの太い、渦巻き状のしっぽを、廊下に膝をついてモミモミするのである。ブル太郎は気持ち良さそうにフンフンと鼻を鳴らす。その内疲れてきた私が立ち上がって足の指でしっぽを揉みだすと、その足の指の強さにおそれいったブル太郎は腰くだけのようになって、横向きに座って顔を上に向ける。瞳が苦しげに波打ち、その肢体は奇妙に色っぽい。これなら芸者の扮装をさせて、お座敷にでも出せば人気が出るのではないか、と私はおバカなことを考える。

生まれつき頑丈な頭は、今では岩盤をも打ち砕いてしまうのではないか、と思えるほど強固になっている。

ブル太郎が二歳になったばかりの頃だった。家人の友人の車が家の前に止まった。たまたま門柱まで出ていったブル太郎が、その日に限ってどうしたはずみか車のドアに突進していった。ボカンと大きな音がして、ドアには直径三十センチの窪みができた。そんな行為をしたのは初

めてのことだったので私も家人も面食らった。車の中には一歳になるウエルシュ・コーギー・
ペンブロークがいて、敏感に臭いを嗅いだブル太郎は、うれしさのあまり体当たりしたものら
しい。
音に驚いた飼い主が愛犬を抱えて出てきた。ブル太郎は頭の痛みなどどこ吹く風で、短いし
っぽを振って歓迎の意を表した。だが、コーギーの方では、まったく見たことのない犬の出現
に怯えて、飼い主の腕の中で震えていた。コーギーが車に戻ってしまうと、ブル太郎は拍子ぬ
けした様子でへこんだ車のドアに自分の顔を映していた。

その車の修理には二万円程度費用がかかり、ブル太郎のおでこは無傷だった。

体型も変わり一回り大きくなった。特に肩の筋肉が張り出し、正面からは戦車を連想させた。
それに合わせて胸の筋肉が盛り上がった。上から見ると肩幅が一番広く、腰はすっきりと細く
なっていて、それは戦闘機を思わせた。散歩から小走りになって帰ってくる姿は、大海を航行
する戦艦そのものだった。

なにもかも戦闘に結びつく体型だったが、ブル太郎がいるだけで、あたりの空間に変化が出
た。そこだけほのぼのとした暖があり、明かりが灯(とも)って感じられた。ブルドッグの存在そのも
のが生命力であり、魂の休息所だった。

あのお宅にはブルドッグがいる、というのは近所ではよく知られていた。そのせいか犬に関

するトラブルや相談が時折持ち込まれる。

昨年の暮れ近くになって、未知の人の訪問を受けた。その人は自分はかつて地元で教育委員をしていたことがあるといい、犬の飼い主がただしく糞の処理をすることを、この地区で義務づけることの運動をしているといった。

「糞をそこいらに撒き散らすふとどきな飼い主が多い。大型犬の糞はことに目立つ。早朝か深夜散歩させて、そのまま放置していくんですな。道徳をわきまえていない。あんたはどう思いますか」

「フンの処理が飼い主の義務であるのは当然のことです」

「でもそうしない輩が多い。ことに女に多い。それで私はずっと見張ることにした。そうしてふとどき者を見つけ次第やっつけることにした」

「やっつける？」

六十半ばの年金暮らしの頑固そうな男を見返して私は訊き直した。

「そう、チラシに名前を書いて町内の掲示板に張り出すんです。そのチラシは私が自分で近所に配ります。これがそう」

男は「犬の糞の始末をしないふとどき者」と書いたチラシを私に手渡してきた。

「そうしないと、こいつらは増長する。私が見張っているからうちの前の道、百五十メートルほどは糞がなくなった。それでこの運動を三丁目にも広めていただきたい」

男の家は四丁目にあるという。うちは三丁目だが、四丁目との間には線路が走っており、平行して四車線の道路も走っている。いままで四丁目で散歩させていた人が三丁目まで流れてくるはずだと男はいった。

「犬の飼い主同士が見張っていなくてはダメなんだ。ちゃんと糞の処理をしている飼い主があらぬ嫌疑をかけられては迷惑でしょう。だから、これを徹底させていけばふとどきな奴はいなくなる。みんなから糾弾されれば仕方なくちゃんとするでしょうから」

男は二週間後にこれに関する会合をするからあんたも出席してくれといって帰っていった。

男のいうことはもっともだった。飼い主が糞の処理を怠れば、すべての愛犬家が厭な目で見られる。だが、男のやり方にはすべての愛犬家を敵視する思いが含まれている。元教育委員は学生を統率しようとするあまり、連隊長気分に染め上げられたようである。その夜、私は酒を呑みながら、もっといい方法はないかと考えた。

二週間後の公民館での会合に参加した私は、そこに集まってきた人のほとんどが、犬を飼っていない人たちだと知って、居心地の悪い思いをした。会合には二十人ほどの人が来ていて、みな口々に飼い主のマナーの悪さや犬の吠え声がうるさいことを言い立てた。私のところにやってきた男が見張りをさらに強化して、交代に見張り番を立てるべきだと主張した。

橋本さんはどう思うか、と訊かれて、私は立ち上がった。

「それでは犬を飼っている人たちみんなを敵に回すことになりますよ。あなたたちをいい人だと思う代わりに、愛情の欠如した偏屈な人たちだと思うでしょう。それでは愛犬家との戦争です。見張り番を立てることよりも、私はむしろ犬の飼い主にワンワンパトロールをしてもらうことを提案したいですね」

それはどういうことですか、と別の老人に訊かれて私は考えついたことを述べた。

「犬の散歩をする人にワンワンパトロールと書いた腕章を巻いてもらうのです。ただしこれは犬の糞を始末するかどうか互いに監視するためのものではなく、文字通りパトロールのためなのです」

私は地元の警察からもらってきた地図を開いた。一丁目から四丁目までの略図に赤と青と黒の印がつけられている。

「これはこの半年間にこの地区で起きた犯罪の場所を示したものです。赤は空き巣か窃盗にあった被害者の家。青はひったくりにあった場所。黒は自転車かバイクが盗まれた所です。この黒に赤いサークルのあるのは車上狙いにあった駐車場を示しています。車そのものが盗まれた例も四件あります。合わせて五十近くの事件がこの半年間で起きているのです」

人々は私が黒板に広げた略図を見て、口々にひどい地域になったものだ、外国人の犯行だろうか、いや、学生もいたはずだと言い出した。

「うちの隣の人はセルシオを盗まれた。夜中にトイレの窓から見ていた向かいの人が、三分ほどの間に数名のやつらで持っていったといっていた。まだ見つかっていないそうだ」

そう一人がいうと、あっちでもこっちでも噂を聞いたと声を上げる人が相次いだ。警察がパトロールを強化すべきなんだという人もいた。私は静かになるのを待って口を開いた。

「この地区の人は住民の顔はだいたい知っています。知らなくても、雰囲気で察します。ワンワンパトロールとは犬の散歩をしている人が、犯罪者を見張っていますよと他の人にアピールすることに目的があります。怪しいと睨んだ人をいちいち通報する必要はないんです。そういう必要があればやればいいんです。この頃では子供を拉致したり、傷つけたりする事件が頻発していいます。ワンワンパトロールはそういう者たちへの監視にもなります」

みなは静かに私のいうことを聞いてくれていた。

「それに通行人が何も企んでいなければ、ごくろうさまと声をかけたくなるはずです。ドキッとするのは犯罪を企んでいるやつで、この町のやつは油断がならんと思うことでしょう。犬の視線は怖いものですからね。犬の飼い主にこの腕章をつける目的を話せば同調してくれる人は多いと思います。むしろみんなワンワンパトロールに参加したいと申し出てくるでしょう」

「しかし、そんなこととして、糞の処理を怠るやつがいなくなるのか」

「パトロールをする人が、糞をそのまま放置して立ち去ることはしないでしょう。できないはずです」

「それは名案じゃないですか。地区の防犯にも役立つ」

「確かに橋本さんがいうように、見張り番を立てるのは行き過ぎだよね。昔の特高みたいで厭な感じだよ」

「そのワンワンパトロールを町会に提案しましょうよ。監視はともかくとして、参加してくれる人が増えれば、自然に町はきれいに安全になるはずですよ」

拍手をしてくれる人がいて、それは室内全体に広がった。会を主催している男は面白くなさそうな様子だったが、拍手の高まりに押されて不承不承頷いていた。

年が代わった今年から、町内ではワンワンパトロールの腕章を巻いた人の犬の散歩をする姿が見られるようになった。それは日毎に増え、三月になった今ではほとんどの人が腕章をしている。そうすると互いに連帯感が生まれるらしく、犬を連れた人同士が会話をする様子が目にとまるようになった。同時に犬の糞に関する苦情はほとんど聞かれなくなった。犯罪率が激減したのが、その効果を物語っている。私は警察から感謝状と共に金一封がもらえるのではないかと思っていたが、いまだ警察からは何の音沙汰もない。

2

三年前から週末の夜の散歩を任せている青木君が、戻ってきてから妙なことを言い出した。彼は司法試験を目指して勉強している若者で、先日法学部を卒業したばかりだった。彼は玄関にブル太郎を連れて入ってくると、ブル太郎君は犬の親分になれますね、と上気した面もちで口を開いた。勉強しすぎて変調をきたしたのかな、と思いながら床に佇んでいると、四、五匹の野犬に囲まれて困っている人がいたんです、とブル太郎の尻を拭いながらいう。

「野犬なんか、このあたりにはいないはずなんだがな」

「南浅川から山に入ったところで、二十匹くらい犬を飼っていた年寄りがいたらしいんです」

「ああ、聞いたことがあるな。山の中で放し飼いにしていたらしい」

「そのおばあさんが何週間か前に倒れてしまって、病院に担ぎ込まれたんですが、どうやら認知症になっているらしいんです。身よりもないようで病院では困っているそうです。で、残された犬のうち何匹かが野犬になってこっちの住宅街まで入ってきたみたいなんです」

頬骨の尖った青白い顔を上げて青木君は妙に弾んだ声でいった。

「ここらには多摩保護センターというのがあって、病気になった人の犬は保護してくれるはずなんだがな」

「ええ。でももう半分以上の犬は保護センターで捕獲して処分しているでしょうね」

青木君がブル太郎を連れていつもの公園にさしかかると、子犬を抱いた婦人が数頭の犬に囲まれて立ち往生していたという。暗がりの中でそれは恐ろしい光景として映った。その内の一匹が婦人の手元を狙って飛びついた。婦人が悲鳴を上げてよけようとしたが、足をもつれさせて後ろにひっくり返った。犬たちは婦人の胸に抱かれた子犬に殺到した。子犬は逃げだしたが、すぐにつかまってそのあたりに転がった。野犬が飛びつくと子犬の喉から絶望的な鳴き声が上がった。

「そのとき、ブル太郎君がワンと吠えたんです。三年くらいブル太郎君を散歩させているけど、吠え声を聞いたのは初めてですよ」

ブル太郎が引っぱるので仕方なく青木君も野犬のところまで行った。野犬の数は四匹だった。野犬は子犬への攻撃を中断して、ブル太郎が近づくのをじっと見ていた。ブル太郎は野犬の輪の中に入った。野犬の低い唸り声が地を這った。青木君はそのとき、ブル太郎の首輪につないでいるリードを離すしかなかった。

「ブル太郎はぐったりしている子犬を舐めていました。婦人は助けてというのですが、あれだけの犬の中に入るのはこわくて無理ですよ」

子犬を舐めていたブル太郎が鼻先で子犬を押し出すようにした。すると子犬はピョコンと起きあがるなり、脱兎のごとく駆けだして婦人の足下に飛びついた。その間四匹の野犬は唸り声を引っ込めて、悄然と立ちすくんでいたという。

「そのままブル太郎君はほかの犬には構わずに悠然と公園を出ていきました。ぼくは婦人に早く逃げるようにいってブル太郎君を追っかけたんです。凄くカッコよかったですよ」

ブル太郎は玄関の床に腰を落として、大きく開いた口から舌を出してハアハアとやっている。しっぽを揉まれて喜ぶ犬が親分と呼ばれるのかと思いながら、私は妙な正義感を持っているブルドッグを眺めていた。

「それでその野犬どもはどうしたんだ？」

「途中で後ろを振り返ったら、のそのそとついてきていました。ブル太郎君の子分になりたいんじゃないんですかね」

「そんなわけないだろう」

ふと不吉なものを感じて私は玄関を出た。そこは下の道路よりも二メートルほど高くなっている。向かいの家に取り付けられたセンサーライトが光った。光の隅に犬の影があった。いるな、と私は思った。そのとき私が感じたのは復讐のためにこいつらはつけてきたのだということだった。

「どうしました」

「野犬がいるな」

私は石段を降りて、門の扉から外を見た。今度ははっきりと野犬の姿が夜の街灯の下で浮き彫りになった。四つの背中が波打ち、交差している。

そのとき私の頭上からブル太郎の吠え声が響いた。石段の上に佇んだブル太郎は集まってきた野犬を睥睨(へいげい)するように、前肢をまっすぐに伸ばして見下ろしている。

犬たちが門扉の前に近づいてきた。だが意外なことに攻撃的な振りはみせず、クビをすくめて項垂(うなだ)れた様子でいる。鳴き声も甘えているように聞こえる。どの犬も中型犬で、柴犬の血が色濃く出ている犬もいる。ブル太郎は玄関のドアの前に立ち尽くしていて、動こうとはしない。

青木君が大丈夫ですかといって降りてきた。私は思いきって門扉を開けて外に出た。一匹が鼻面を寄せてきた。頭を撫でると、私の膝に顔をこすりつけてきた。他の犬も私の前に来てなついてくる。腰を下ろすと四匹がいっぺんに私の頰を舐めてきた。首輪こそしていないが、この四匹は間違いなく人に飼われていた犬たちだ。人から愛情を注がれるのを待ちこがれている犬たちだった。

私は犬たちを置いて家に入った。最後にブル太郎が入ってきた。むつかしいことになったと思った。あの四匹の犬は復讐のためについてきたのではなく、救いを求めているのだ。

「青木君のいうとおり、あいつらはブル太郎の子分になりたくてついてきたのかもしれないぞ」

「すると、このあたりに居つくことになるんでしょうね。でも、通報されてすぐに動物愛護センターに連れていかれるな。そうなると一週間で致死処分になるでしょうね。首輪のしていない犬の場合は三日で処分ということになるかもしれないですね。だれか飼ってくれる人がいればいいんですがね。四匹いっぺんとなると大変だな。それに、飼うにしてもいったん捕獲されるとセンターからもらい受けるのは結構面倒なようですよ。色々な審査があって」

「よし、あそこに頼んでみるか。前から考えていたんだ」

「どこです」

「少年院だ」

　自宅から十分ほど行ったところにある少年院に先月私は講演に行った。法務官僚のときから面識のある院長に、個人的に頼まれて行ったもので、そこには二百人近い若者が収容されていたが、私が話したのは十六歳から十八歳までの四十人ほどが相手だった。窃盗、薬物犯とそれぞれ収容されるまでにいたった事情は異なるが、いずれも六ヶ月以内に仮退院を目指して矯正教育されている者たちだった。

　私の話は講話でもなく説教でもなかった。彼らに立ち直ってもらいたいためにうまい話を作ることなどできない。それで私は十代の頃にせっせと一人旅をしていた話をした。旅先で出会った地元の人から親切にされたこと、何もしていないのに因縁をつけてきた同世代の者たち、旅は楽しいものではなくいつも孤独だったという話をした。質問を受けると十六歳だという若者が、先生がいままで一番感銘を受けた話はなんですかと訊いてきた。私は少し考えて答えた。

「アメリカの心理学者でエイブラハム・マズローという人がいた。この人はある理由から同じ心理学者から様々な迫害を受けた。でも彼は屈することなく自分の学説を通した。その魂は子供時代に培ったものだ。勉強家のマズロー少年は毎日図書館に通っていた。その彼の態度を快く思わない連中が、マズローを待ち伏せしてさんざんいじめた。年上の者もいた。いじめは毎日のように続いた。でも彼は図書館通いをやめることはなかった。それ以上に私が感動したのは、彼はいじめっ子が待ち伏せしているというのに、決して図書館までの通り道を変えようとはしなかったことだ。それは本物の勇気だと私は思う」

終わると全員が立ち上がって拍手をしてくれた。内庭にはブル太郎が待っていた。寒い中で立花とボール遊びをしていた。四十人の若者は鉄格子のはめられた室内から私が犬に近づくのを見ていた。立花が私にドッジボールを投げてきた。それを受けて私はこちらに向かって走ってくるブル太郎に投げつけた。ボールはまっすぐにブル太郎に向かった。するとボールが当たる寸前にブル太郎が跳んだ。ボールはブル太郎の下をかいくぐった。見事な跳躍だった。飼い主が一番驚いていた。そのとき室内から歓声が湧き起こった。両腕を上に伸ばして拍手をしている若者の姿が目に映った。

もし彼らに犬が与えられたら、それが飼い主に捨てられた犬であったら、誰よりも可愛がってくれるのではないか。そのとき私が考えたことは、思いつきで終わらせてはならないと深く胸に刻み込んだ。

「いい考えですね。動物を育てるのが命を大切に思うことに一番つながりますものね。でもオッケーしてくれますかね」

「させるさ。四匹の犬を飼うくらい院長の心意気ひとつでできる」

翌日私は院長に電話をし、了解をとった。うちの駐車場に入って眠っていた四匹の犬は、ブル太郎が助手席に座ると、おとなしく私の車に乗り込んできた。手伝いにきていた青木君と高校生になった奈美が、並んで手を振っていた姿が微笑ましかった。


二ヶ月後の五月の連休のあとに、私は院長から連絡を受けて少年院に行った。私が連れていった四匹の犬の育成を担当した四人の子の仮退院が近づいてきたので、様子を見に来ないかといわれたからだ。

その日、書物の整理に来てくれた立花とブル太郎と共に少年院の門をくぐった。昼前で少年たちは溶接の作業やパソコンの操作をそれぞれしていた。終わると給食になった。私と立花は院長と共に給食をごちそうになった。おいしい食事だった。ぼくがいつも食べているものよりずっといいですよ、といって立花はここに収容されたいような表情をした。

食後、中庭に出て犬たちを見舞った。四人の若者がそれぞれ犬のリードを持ってやってきた。その内のひとりは、三月前に私に一番感動した話はなんですかと質問してきた少年だった。瞳がきらきらと輝いていた。

「盲導犬ではないですけど、盲導犬の何分の一かの役目はできるように育てました」

「じゃあ、このブルドッグに嚙みつかせるから、じっと我慢できるかどうか見てみよう」

私はブル太郎の尻を靴のつま先で押し出した。ブル太郎は、不本意といった顔で前に出ていった。

「あ、それはやめて下さい。ブルドッグに嚙まれたら死んでしまいます」

少年は頰を紅潮させて犬の前に立った。院長が笑い、他の少年が一緒になって笑った。それから四匹の犬がブルドッグを中心に集まって、尾っぽを忙しく振る光景を見つめていた。緩やかな風と五月の澄んだ空の下で、五匹が奏でる心地よいハーモニイを聴いている気分になった。

「いいことを教えてくれました。この犬を育てたこの子たちは、もう決して犯罪に手を染めることはありませんよ。信頼することが大切なのを学んだんです」

院長が私の傍らでそういった。四人の少年の表情が艶やかに輝いていた。その内のひとりの少年が上空を見上げて、あ、鷹だ、といった。

見上げると青い空とのどかな雲を背景に、四羽のオオタカが気持ちよさそうに舞っている。その中心にいるオオタカの悠然とした姿がことに美しかった。

「あのときのオオタカだ」

私は思わず呟いていた。えっ、なんのこと、と少年がいった。

「二年前、こいつらは親友だったんだ。銃で撃たれたオオタカをブルドッグがかくまってやったことがあるんだ」

ええー、そんなことってあるんスか、と誰かがいった。あるんだ、誰も信じないだろうがなと私は胸の中で呟いた。

「あの真ん中のオオタカがそうだ。少し大きいのは雌のオオタカで、風にふらふらしているのは子供だ。こいつに子供と奥さんを見せに来たんだ」

オオタカが鳴いた。首を上げたブル太郎が眩しげに空を仰いだ。私がリードを離すとブル太郎は庭の中央に向かって駆けだした。それを待っていたかのように、一羽のオオタカが舞い降りてきた。風が翼を揺るがした。

オオタカはブル太郎の前まで降りてきて中空で止まった。一羽と一匹の視線が絡まった。ワン、とブル太郎が吠えた。オオタカが鳴いた。その嘴がブル太郎の額をそっと弾いた。それから一気に上空に舞い上がった。それはほんの数秒の逢瀬(おうせ)だった。

「な、なんですか、今のは」

院長が震える声でいった。私は四人の若者の方を振り向いた。四人とも青ざめた顔で、上空を旋回しているオオタカの親子を見上げていた。

ブル太郎は一心不乱に空の一点を見つめているようだった。空を自由に舞う友に、敬愛と羨望ととてつもなく深い友情を抱いて。そして、明日(あした)を見つめて。

広い庭に佇むブルドッグの体格はとても小さくて、その姿は、遠くに旅立つ父親を見送る五歳の少年のようにけなげだった。

あとがき

これは物語である。

物語のモデルになっているブル太郎は、うちで飼っているブルドッグである。カットに使われている犬がそうである。

あるとき、まだ生後数ヶ月だったこの犬を車に乗せて、八王子の里山を見に行った。そこは地元では天合峰と呼ばれている百七十ヘクタールの広がりのある里山の集合体だった。里山は農家の薪炭や落ち葉の供給源であり、水田の水源涵養地として重要な役割を果たしてきたという。

ここには様々な貴重な植物が生育している。なかでもクロムヨウランという植物図鑑にも載っていないような希少な蘭科の植物が生育している。ここに住む人々は、春にはワラビ、ゼンマイ、秋にはキノコ、山芋など山菜をとり、自然の恵みの中で生きてきた。

天合峰にはキツネ、タヌキ、ホオジロムササビなどの哺乳動物が多く棲み、オオムラサキの舞う姿も夏には見られる。

野鳥も多く、これまでに三十九種類が確認されている。ここが東京都の一画であるとは信じられないほどである。縄文時代から続いている自然があちこちに息づいているのである。

しかし、里山の不運は人が近くに住んでいるということにある。つまり住宅地、工場用地、研究所用地として狙われやすい立地にある。天合峰も例外ではなく、ここを買収した住宅・都市整備公団が、ここにハイテク産業の研究団地を開発する計画を発表した。私がブルドッグを連れてこの里山を見に来たのは、それから数年たった頃だった。

里山を見たとき最初に感じたのは、深い森に覆われた山の気高さだった。その中心部には何か恐ろしいものが隠されているかのような神秘性だった。しかし、じっと眺めている内にホッとするものを感じるようになった。

そして帰り際に私は見たのだ。どんよりと曇った空の下で、里山の気高さを抱きかかえるように、翼を大きく広げてゆったりと舞うオオタカの姿を。

そのとき、連れていたブルドッグは近眼の目で、飼い主と同じように、垂れ込めていた空の一端を見上げていた。

里山を一周しながら、いつの日か、オオタカとブルドッグの物語を書きたいものだと思っていた。だが、童話を書くことのできない私には、とても不可能なことのように思えた。童心というものが皆無なのだ。

犬が成長するにつれて、その性格のユニークさと、他犬に対する無関心さがおかしくて、ブルドッグだけを主人公にしたものでもいいからやってみるか、という気になってきた。この物語にも書いてあるが、小さな犬に対するやさしい心と、散歩の途中で飼い主と出会っても、シカトして通り過ぎてしまう犬の奇妙な行動が、たまらなく魅力的なのだ。私はこれまでに五十年間以上、何種類もの犬を飼ってきたが、ブルドッグの存在感は他の犬では味わうことのできないものだった。

しかし、生来怠け者の私はなかなか物語を書き出そうとしなかった。

そんな私にチャンスを与えてくれた上に、「やってみましょう」と励ましてくれたのは、雑誌「ドッグワールド」(成美堂出版発行)の編集者の小川ましろさんだった。ブルドッグ特集のための取材に我が家に現れた小川さんは、いつの日かエッセイか小説で連載を、といってくれた。

「明日のブルドッグ」がはじまったのは、ブルドッグを飼って六年が過ぎようとしているときだった。天合峰のハイテク産業の研究地の計画は白紙に戻っていたが、代わりに圏央道が里山の横っ腹を走る計画ができ、すでに一部では工事の着工がなされていた。私はどうしても物語を仕上げる必要があった。

物語の前半は、ややハードボイルドタッチの私小説である。そして、後半にオオタカとブルドッグの友情が始まる。

連載は十五回で終了し、それは同時に雑誌「ドッグワールド」の廃刊のときでもあった。この中のある一章は、単行本化のときに書き足したものである。

正直、単行本にしてもらえるとは思っていなかった。持ち込みのこの連載を支持して下さったのは、草思社の会長である加瀬昌男さんである。まったく見知らぬ作家の売り込みを快く受けて下さったのは、加瀬さんの寛大さのおかげであると感謝している。

単行本にするにあたって細かい指摘をしてくださったのは平山濶二氏である。彼のような古風な編集者が現存していることは喜びと救いであった。

なお、モデルとなったブル太郎は、すでに襲ってきた夏の暑さにバテ気味で、玄関のタイルに腹這いになって、毎日ぜーぜーとやっている。

二〇〇六年　初夏

高橋三千綱

明日(あした)のブルドッグ

2006年6月27日　第1刷発行

著　者　高橋三千綱
装幀者　本山吉晴
装　画　七戸　優
発行者　木谷東男
発行所　株式会社　草　思　社
〒151-0051　東京都渋谷区千駄ヶ谷2-33-8
電　話　営業03(3470)6565　編集03(3470)6566
振　替　00170-9-23552
印　刷　株式会社精興社
製　本　大口製本印刷株式会社
ISBN4-7942-1497-9
Printed in Japan